Les Éditions Premières Impressions
1 - 1865, Boul. Saint-Jean-Baptiste
Montréal (Québec)
H1B 4A6
Téléphone : 514.640.1149
Courriel : pi@acn.net

En première de couverture :

Photographie originale d'Isabelle Champagne
Infographie de MBDesign

Imprimé à Montmagny, Québec.

ISBN 978-2-9808218-8-2

Dépôt légal - Bibliothèque nationale du Québec, quatrième trimestre, 2008
Dépôt légal - Bibliothèque nationale du Canada, quatrième trimestre, 2008

Marie-Lue

Pour conjurer la peur de mourir et... celle de vivre.

Un rendez-vous sur le chemin de la Conscience

Premières Impressions

Les Éditions Premières Impressions

Pour conjurer la peur de mourir et... celle de vivre

Table des matières

À toi, ma petite Anne libellule,
Toi qui m'apprends le jeu, le rêve, la liberté…

Remerciements

Du plus profond de mon être, je remercie tous ceux qui ont appuyé mon processus d'écriture et qui, de près ou de loin, ont contribué à la réalisation de cet ouvrage :

Ma famille de Terre et mes groupes de lecture, pour leur ouverture et leur support, et ma famille de Ciel, pour sa présence aimante et son empressement à enrichir mon témoignage de ses révélations.

Ma superbe muse, Anne, sa maman Josée et sa grand-maman Lili, pour l'amour inconditionnel qu'elles me portent et pour la source d'inspiration qu'elles sont pour moi.

Mes anges gardiens et guérisseurs, Marise, Ghislain et Johanne, pour leurs soins, leur soutien énergétique et leur indéfectible amitié.

Ma sœur d'adoption Suzanne, pour sa disponibilité et sa précieuse collaboration à la mise en forme de ce texte.

Mes relecteurs Gilles et Michel, pour leur compétence, leur patience et les judicieuses remarques, tant sur le style que sur la langue, qui m'ont aidée à polir mon texte.

Mon amie Lise, pour m'avoir soutenue de sa lumière, pour m'avoir suggéré des lectures remarquables et pour avoir accepté de préfacer mon livre.

Mes commanditaires les boulangeries **PREMIÈRE MOISSON** qui, par leur support financier, ont rendu possible cette publication.

Mon éditeur, pour sa largeur de vues, sa générosité et son enthousiasme.

Enfin, mes « maîtres », les livres inspirés et leurs auteurs, pour m'avoir permis d'aller toujours plus loin dans ma quête de sens, mon effort de vulgarisation du discours spirituel et mon cheminement vers le Bonheur.

*C'est quand on apprend à mourir
qu'on apprend à vivre...*

Morrie Schwarz
(*La dernière leçon* de Mitch Albom)

Préface

C'est un bien beau livre que vous vous apprêtez à découvrir. Il est si particulier pourtant qu'on peut se demander par quel chemin direct ou détourné il est parvenu jusqu'à vous. Marie-Lue nous expliquerait cela tout de suite par le jeu subtil des coïncidences et des synchronicités. Et elle aurait bien raison. Il y a justement eu des milliards de circonstances qui vous ont amenés ici, à cette page, à cette ligne... À l'orée d'un livre à vivre.

Pour conjurer la peur de mourir et... celle de vivre est la touchante confidence d'une femme partageant avec nous, dans une langue merveilleuse et rythmée, sa difficile quête du bonheur et celle du sens de sa vie. Comme elle nous ressemble, cette femme, avec ses excès, ses reculs, ses envolées, ses joies, ses peurs, sa souffrance et son espérance. Dépassant sa peur viscérale de mourir et s'en servant comme d'un tremplin, Marie-Lue accepte d'affronter la Mort dans des textes d'une rare intensité, elle l'accueille finalement, essaie de la comprendre et de la transcender. C'est souvent ainsi que commencent les véritables démarches porteuses de transformations radicales dans nos vies. La maladie, la mort d'un proche, une grande épreuve qu'on n'a pas vu venir et qui bouleverse tout, et voilà que s'amorce le plus passionnant des voyages, celui qui mène au centre de nous, celui qui permet de nous enfanter de nouveau et de découvrir ce que nous sommes vraiment.

Ce voyage est difficile, on le sait bien, et pour nous aider, Marie-Lue nous parle de grands amis qu'elle a découverts au cours des années, ce sont les livres importants de sa vie qui l'ont guidée, qui l'ont fait avancer et comprendre. Elle nous les présente, avec leurs enseignements qu'elle a intégrés en profondeur. L'originalité de son témoignage tient certainement au fait que Marie-Lue a enseigné pendant de nombreuses années. On sent bien la présence du professeur qui prend la main de l'élève, qui donne le goût de lire, qui propose un auteur sans pourtant l'imposer, qui explique avec des mots simples des concepts philosophiques qui pourraient paraître difficiles ou compliqués. Il y a tellement de livres disponibles qui parlent de la vie, de la mort, de la souffrance et du bonheur, qu'on se demande souvent comment on peut s'y retrouver. Pour nous aider, Marie-Lue fait déjà un tri dans la multitude d'écrits à la mode ou de philosophes moins connus, elle instaure des parallèles entre différentes traditions et courants de pensées, elle nous donne le goût d'aller plus loin, de s'interroger, car elle sait que celui qui a posé vraiment sa première question ne va plus s'arrêter.

Comment ne pas le dire, Marie-Lue est une passionnée du divin. Elle nous entraîne avec elle dans sa quête d'infini. Elle se livre tout entière et parfois sans pudeur, elle nous bouscule aussi. Soudain, des moments de grâce, ceux d'une poésie brûlante et incarnée, puis Marie-Lue redevient vulnérable et tendre, éternelle élève en humilité.

Bien sûr, dans cette quête du bonheur et du sens de la vie, il n'y a pas de réponses précises et définitives qui attendent toutes faites, au bout du chemin. Après avoir terminé la lecture de *Pour conjurer la peur de mourir et… celle de vivre*, il restera toujours les « questions », et le Mystère demeurera entier…

Tant mieux… À vous d'inventer le reste au goût du bonheur comme le fait si bien la petite Anne…

Lise Thouin

En guise de prologue

Histoire de la petite fille qui avait peur de vivre

- Raconte-moi une histoire, Lulu, tu veux ?

- Comment ça, te raconter une histoire ? J'ai du travail, moi. Regarde, tu me prends en plein ménage, en pleine lessive...

Puis, je m'aperçus que je faisais à ma petite la réponse que Saint-Ex avait faite au Petit Prince, la réponse que les adultes font en général aux enfants, et que ce n'était pas très lumineux. Elle me le fit d'ailleurs remarquer.

- Écoute, je suis venue te voir. Qu'est-ce que t'as d'autre à faire que de me raconter une histoire ?

Elle avait raison. Pourtant, je résistai encore un peu.

- Mais, je n'en connais pas d'histoires, moi, ou si peu.

- Tu les connais toutes, les histoires. Elles sont toutes là, dans ton coeur. Choisis celle qui est sur le dessus.

- Celle qui est sur le dessus…

Et c'est comme ça que tout a commencé. Anne, six ans, ma petite-fille d'adoption, était chez moi pour quelques jours. Elle m'appelait Lulu. Je ne pouvais rien lui refuser. J'ai choisi l'histoire du dessus. Celle qui était en moi, mais qui parlait d'elle.

- Bon, alors très bien. Je vais te raconter une histoire vraie, l'histoire de la petite fille qui avait peur.

- Elle avait peur de quoi, d'être mangée par les loups ?

- Elle avait peur de vivre, je crois…

- Ah oui ! Dis-moi, est-ce que je peux t'arrêter pendant ton histoire si je comprends pas ou si ça me fait penser à quelque chose ?

- Oui, bien sûr. Tu m'aideras à raconter mon histoire.

- Oh, j'aime ça !

   Alors, il était une fois une petite fille qui était née prématurément...

- Qu'est-ce que ça veut dire « préma… rément » ?

- Préma-**tu**-rément. Ça veut dire née avant son temps. Sortie trop tôt du ventre de sa maman. Et de sa chaleur.

- Mais c'est mon histoire, ça. Maman me l'a déjà racontée. Raconte-la moi encore. Je veux l'entendre de toi.

- C'est ton histoire. C'est celle de beaucoup de petites filles et de petits garçons. Et peut-être aussi celle de tous les enfants du monde et même des grands. Tu sais, on sort toujours trop tôt du ventre de sa maman. On ne se sent jamais prêt à vivre et c'est pour ça qu'on a peur. Alors, écoute-moi bien.

Il était une fois, une petite fille née trop tôt, plusieurs semaines trop tôt. Elle était bien petite, cette petite. Toute rouge, avec les yeux collés et un bonnet sur la tête en guise de cheveux. Toute en longueur aussi. De longues jambes allumettes et de longs bras avec, au bout, de mignonnes petites mains. Et des doigts fins, fins, fins. Des doigts d'artiste. Je te voyais déjà pianiste...

- Tu es venue me voir à l'hôpital ?

- Ah oui, j'y suis allée à plusieurs reprises.

- Il paraît que j'étais dans une petite cage de verre. Comme l'aquarium de mon poisson rouge.

- C'est vrai que ça ressemblait à l'aquarium de ton poisson, mais sans eau.

- Si j'avais été dans l'eau, je me serais noyée ?

- C'est sûr. Une fois sorti du ventre de sa maman, un bébé ne peut plus vivre dans l'eau. Il doit respirer.

- Et c'est pour ça qu'on m'a mise dans une cage sans eau ?

- On appelle ça une incubatrice. On t'y a mise pour te garder à la chaleur et pour te protéger. Quand un bébé naît trop tôt, il est fragile. Il peut avoir froid. Il peut attraper toutes sortes de...

- De microbes et de maladies. Je le sais. J'en attrape des fois.

- Maintenant, tu es grande. Tu peux combattre les bactéries. Mais à l'époque, tu étais si minuscule... Dis-moi, je peux continuer mon histoire ?

- Mais c'est mon histoire...

- Très bien, tu peux continuer de m'aider. Quand je suis allée te voir, la première fois, à la pouponnière, l'infirmière t'a sortie de ta boîte de verre et t'a déposée dans mes bras. Tu sais ce que tu as fait alors ?

- Je le sais pas. Peut-être que j'ai fait pipi sur toi...

- Non, tu m'as fait un sourire. Un magnifique sourire d'ange. C'était ton premier sourire et c'est à moi que tu l'as offert. Alors... j'ai eu le coup de foudre.

- Le coup de foudre ? Le tonnerre est tombé sur l'hôpital ?

- Mais non, c'est une image, une façon de parler. Ça veut dire que je suis tombée en amour avec toi, comme ça, vite comme la foudre, vite comme l'éclair.

- Moi, je me souviens pas de ça !

- Moi, je m'en souviens. Et, à chaque fois que je suis retournée te voir après, le miracle s'est reproduit. Dès que tu étais dans mes bras, tu me faisais un sourire d'ange. Et à chaque fois, je sentais une vague d'amour immense nous envelopper et mon coeur se gonfler de joie. C'est comme ça que tu es devenue ma plus belle histoire d'amour...

- C'est vrai que tu venais me voir à la maison après et que je pleurais tout le temps ?

- Oui, c'est vrai. J'allais parfois prendre soin de toi, la nuit, pour que ta maman et ton papa puissent dormir un peu.

- Pourquoi je pleurais ?

- Tu avais mal au ventre. Tu comprends, les enfants prématurés n'ont pas tout à fait fini de construire les cellules de leur corps. Leur appareil digestif, par exemple, est très fragile. Tu sais ce que c'est, l'appareil digestif ?

- Oui, c'est les boyaux dans mon ventre qui broient la nourriture pour la changer en...

- Bon, très bien. Alors, tes boyaux avaient de la difficulté à laisser passer le lait. Ça les irritait et tu avais mal au ventre. Josée a essayé toutes les sortes de lait et ça ne marchait pas. Mais sais-tu comment, moi, je t'arrêtais de pleurer ?

- Tu me donnais du lait au chocolat ?

- Non, tu étais trop petite pour le chocolat. J'avais un meilleur moyen. Je m'étendais sur le divan. Puis, je te couchais sur mon ventre, de tout ton long, avec ta petite tête sur mon coeur. Et

là, je caressais et je massais doucement ton dos jusqu'à ce que
tu t'endormes.

- Et toi, est-ce que tu dormais ?

- Très peu. Moi, je veillais sur ton sommeil. Tu étais comme un
petit chat endormi sur mon ventre, un petit chat qui se soule-
vait avec ma respiration. Je te regardais dormir. Parfois, je te
chantais une berceuse. Parfois, je laissais nos âmes se parler.

- Qu'est-ce qu'elles se disaient, nos âmes ?

- La tienne disait que c'était trop tôt, qu'elle avait un peu peur
de la vie. Elle disait aussi qu'elle n'aimait pas avoir mal au
ventre, qu'elle ne pouvait s'empêcher de pleurer et qu'elle avait
peur qu'on ne l'aime pas à cause de ça...

- Et la tienne, qu'est-ce qu'elle disait ?

- Elle répondait que tout irait bien, que tu n'avais pas à avoir
peur. Que je t'aimais, que papa et maman t'aimaient, que
Nicolas t'aimait, que tout le monde t'aimait. Elle te disait que
tu serais la petite fille la plus aimée du monde et que ça valait
la peine de vivre.

- C'est ça, avoir peur de vivre ? C'est avoir peur de.... de pas être
aimée par sa maman, son papa et son grand frère ?

- C'est un peu ça. Mais c'est aussi que... Tu sais, quand on vient
au monde, on quitte un autre monde, plus facile. On quitte une
bulle, un monde où l'on vivait entouré d'amour, de douceur, de
beauté et de couleurs. On quitte aussi son oeuf, le cocon qui
nous protégeait dans le ventre maternel. Quand on naît, on fait
éclater le cocon. C'est comme si on se retrouvait toute nue et
toute seule. Alors, on a un peu peur, tu comprends ?

- Pourquoi on reste pas dans sa bulle ?

- Parce que c'est le temps de faire éclater la bulle. C'est le temps
de vivre à nouveau sur terre et de continuer sa route, d'expérimenter une autre vie. C'est le temps d'apprendre
à aimer encore mieux, encore plus. Et aussi, peut-être,
d'apprendre aux autres à aimer. Tu te souviens du poème que

j'avais écrit pour toi à ta naissance et que je t'ai lu quelques fois, *Anne, ma soeur Anne* ? Il disait déjà un peu ça, tu sais.

- Je m'en souviens plus. Il y a trop longtemps que tu me l'as lu. Relis-le pour moi, tu veux ?

- Justement, je l'avais sorti pour te le remettre aujourd'hui. Mais là, je vais te demander de ne pas trop poser de questions et de me laisser te le lire jusqu'au bout.

- Euh ! Vas-y, je vais essayer...

Anne, ma sœur Anne...
Anne ma jolie, Anne ma chérie
Anne mon bébé, Anne ma poupée
Anne du Ciel et de la Terre
Anne, la petite fille chérie de toute la galaxie
Anne de nos cœurs, Anne de nos jours, Anne de nos amours
Dis-moi, mon ange, dis-moi, mon cœur
Qu'es-tu venue faire, si tôt, dans cette galère ?

- C'est quoi une galère ?

- Je t'expliquerai après.

Anne aux yeux si bleus
Anne aux si petits cheveux et aux si grands petits pieds
Anne à la main menue, aux si petits doigts, si fins
perdus dans la mitaine au long tube
Anne à la tête rasée et bosselée
cousue de fils blancs
sous le bonnet
Anne au ventre creux, nerveux et si douloureux
Anne en pleurs, arrachée trop tôt au Ventre chaud
et tenue si loin, si loin des bras de sa maman
Dis-moi, mon ange, au si joli premier sourire
dis-moi, petite soeur, en pleurs
Qu'es-tu venue faire, si tôt, dans cette galère ?

- Encore la galère !

- Chut, laisse-moi terminer, tu veux ?

> *Mais... je sais pourquoi tu es là*
> *Je t'entends à l'instant le glisser à mon oreille*
> *Tu es venue nous dire :*
> *Aimez-moi !*
> *Toi maman, et toi papa, et toi Nicolas*
> *Et vous, grands-mères de sang*
> *et toi Lulu, la mamie substitut*
> *Et vous tous, les autres autour...*
> *vous les papis, vous les grands, vous les enfants*
> *Aimez-moi ! Aimez-moi ! Aimez-moi !*
> *Je suis tout droit descendue du Ciel sur la Terre*
> *pour être aimée*
> *et pour vous apprendre à aimer*
> *Et, si j'arrive si tôt*
> *c'est que ça ne pouvait attendre plus longtemps...*

> *Aimez-moi !*
> *Je vous aime tant !...*

- C'est tout ?

- C'est tout. Est-ce que tu l'aimes, ton poème ?

- Oui, mais il y a un mot que je comprends pas.

- Je vois. Une galère, c'est un ancien bateau de guerre avec des voiles et des rames. Pour faire avancer le bateau quand il n'y avait pas de vent, ou pour le faire aller plus vite, on obligeait les prisonniers de guerre à ramer. C'était un travail terriblement pénible.

- Je suis pas venue sur la terre pour ramer, moi, hein Lulu ?

- Non, les galères n'existent plus. Mais on a gardé l'image pour décrire un travail ou une situation difficile. Dans ton poème, j'emploie le mot *galère* pour parler de la vie. Ce n'est pas toujours facile, la vie, tu sais.

- Moi, je trouve ça facile.

- Maintenant, oui. Mais, quand tu étais toute petite et que tu avais peur, que tu avais mal au ventre et que tu pleurais, ce n'était pas si facile…

- Peut-être, mais j'ai oublié.

- Tant mieux pour toi ! Mais, tu sais, il y a d'autres enfants pour qui la vie n'est pas si facile. Et des grands aussi.

- Oui, je le sais. Je l'ai vu à la télé. Il y a des enfants avec des fusils qui font la guerre. Et aussi, des fois, il y a des grosses vagues sur l'océan qui avalent des enfants et des grands et qui les tuent. Mais, c'est pas ici que ça se passe.

- Non, mais ici, il y a des enfants pauvres et d'autres qui meurent de leucémie ou d'un autre cancer. Et des grands aussi.

- Comme tante Solange ? Je m'ennuie de tante Solange.

- Oui, comme tante Solange. Moi aussi je m'ennuie. Mais il y a aussi des gens qui vivent dans la rue, des vieux qui meurent dans des corridors d'hôpitaux et des enfants qu'on bat ou qu'on abandonne. Disons que toi, tu es une petite fille choyée par la vie. Une petite fille aimée, en santé, belle et riche. Est-ce que tu le sais ça, que tu as de la chance, ma belle ?

- Oui, maman me dit que j'ai de la chance. Est-ce que tu sais pourquoi, moi, j'ai autant de chance, Lulu ?

- Je crois que toi, tu as choisi une autre sorte de vie. Tu sais, on choisit sa vie. Sans le savoir évidemment. C'est l'âme qui choisit. Et on revient sans cesse sur la terre pour apprendre et pour enseigner. On n'a pas besoin d'apprendre et d'enseigner toujours les mêmes choses. Alors, toi, tu as choisi une naissance difficile. Peut-être pour apprendre à vaincre la peur de vivre. Mais, pour après, peut-être que tu as choisi une vie plus facile. Peut-être que tu as choisi de vivre et de semer l'amour tout simplement, comme je le dis dans ton poème...

- Alors, j'ai plus besoin d'avoir peur comme quand j'étais bébé ?...

- Non, tu n'as aucune raison d'avoir peur de vivre.

- Alors, comment elle finit, mon histoire ?

- C'est vrai, il faut une fin à une histoire. Mais la tienne ne fait que commencer, mon coeur. Et c'est toi qui dois l'inventer, à mesure...

- Je le sais, mais j'aimerais qu'on dise la suite tout de suite et qu'on l'écrive. Et je veux que tu m'aides. Maman dit que, quand on veut très fort quelque chose et qu'on l'écrit, la chose devient vraie.

- Maman a raison. Il faut créer les choses dans sa pensée d'abord. Il faut les imaginer, en tracer les grandes lignes. Alors, imaginons une suite et une fin à ton histoire. Je commence.

Il était une fois une petite fille aimée et qui aimait. Elle était tant aimée qu'elle n'eut plus jamais peur de vivre. Elle aimait tant qu'elle rendait tout le monde heureux autour d'elle. Elle semait la joie si fort que même les fleurs riaient quand elle en faisait des bouquets pour sa maman. Elle aimait si fort que son amour faisait de jolis petits nuages roses qui voyageaient sur la planète entière et qui guérissaient les enfants malades et la terre elle-même...

- Je veux continuer.

- Vas-y. Je t'écoute.

Elle travaillait fort à l'école, mais elle se gardait beaucoup de temps pour jouer avec Nicolas, et ses amies et ses poupées, et pour regarder Télétoon, et pour faire des dessins, et pour faire la cuisine avec sa maman.

- Ah oui ! Et qu'est-ce qu'elle devint quand elle fut grande ?

- Une danseuse dans les comédies musicales, une pianiste ou... une *designer* de mode. Peut-être aussi la patronne de Première Moisson. Et puis... une maman avec un monsieur gentil comme mon papa.

- C'est tout ?

- Et puis, elle fut heureuse. Et puis, elle ne vieillit jamais. Et puis... elle ne moura jamais...

- *Mourut*, ma chouette, on dit mourut. Mais, si je comprends bien, on n'a pas besoin de mettre le mot *Fin* à ton histoire. Elle ne se termine jamais.

- Oui, oui, il faut le mettre. Pour que ça arrive. Comme dans les prières.

- Oh, j'oubliais. Le mot *Fin*, dans les contes, ça veut dire *Amen* ou *Ainsi soit-il*, comme à la fin d'une prière.

- C'est ça. Maman m'a expliqué pour les prières. Il faut les faire arriver.

- Très bien ! Alors, allons-y pour le mot magique. C'est toi qui le dis :

Fin

Fin

Fin

Fin

- Je l'ai répété quatre fois pour que ça arrive plus fort !

- Très bien, mon cœur ! Et moi, j'écrirai ton histoire. Alors, elle deviendra vraie...

Et ce fut là la première histoire que je racontai à ma petite de six ans. Avec son aide, bien sûr. L'histoire du dessus... Mais force m'a été de constater qu'il y avait plein d'autres histoires dessous et que je me devais de les raconter. À ma petite Anne, mais aussi à vous tous qui peut-être avez peur de vivre. Car même si votre chemin diffère quelque peu du mien, je suis sûre que nos peurs, elles, se rejoignent, de même que nos questionnements et nos aspirations. Et puis vous savez, les histoires, ça aide à vivre. Souvent même à mourir... Enfin, c'est connu, les histoires que l'on garde captives, dans son coeur, peuvent s'étioler et s'éteindre à jamais. Même que ça peut faire exploser le dedans si on refuse de les libérer. Alors, il faut toujours raconter les histoires. Surtout quand elles viennent du coeur, qu'elles s'adressent à l'âme, et qu'elles finissent bien...

Je vous raconterai donc, souvent sous la forme de contes et de poèmes, des histoires qui marquent ou qui ont marqué ma vie. Des histoires de deuil et de rébellion, mais aussi de transmutation et d'exultation. Des histoires que j'ai vécues moi-même ou qui sont arrivées à d'autres. Des histoires parfois même fictives, mais toujours authentiques parce qu'elles me touchent, parce qu'elles s'inscrivent dans mes préoccupations et peut-être aussi dans les vôtres... Et, entre les textes littéraires, sous la forme du récit cette fois, j'irai plus loin dans l'histoire de mon cheminement à travers mes peurs, ma peur de mourir et ma peur de vivre. Une histoire entièrement vraie, celle-là, présentée de façon non chronologique, en *flash-back*, par touches successives au gré des chapitres et des thèmes. Une histoire parfois triste, où la mort et la vie s'entrelacent. Mais un témoignage d'espoir, un témoignage de Vie.

Et ce n'est pas tout. À travers mon témoignage intime, je vous raconterai les livres que je lis et qui sont devenus mes amis et mes guides. Des livres hautement inspirés, qui puisent également dans la pensée des grands maîtres et dans les données de la physique quantique[1]. Des livres qui ouvrent des horizons nouveaux sur la vie

---

1   Ensemble des théories de la physique nouvelle élaborées au XXième siècle pour cerner le monde de l'infiniment petit (atomes et particules, ainsi que certaines propriétés du rayonnement électromagnétique) dont les comportements n'obéissent pas aux lois de la physique classique de Newton.

et sur la mort et qui font sans cesse évoluer ma vision du vivre et du mourir. Des livres qui m'ont aidée, qui m'aident encore à grandir et qui peuvent vous aider vous aussi si vous voulez les entendre. Vous trouverez peut-être certains concepts difficiles ou certains mots hermétiques au premier abord. Ouvrez grand votre cœur et continuez votre lecture. Le sens se précisera au fil de l'histoire.

Oui, je crois qu'on peut apprivoiser la mort en apprivoisant la vie. Et à l'inverse, comme le soutient Morrie Schwarz, c'est en apprenant à mourir qu'on apprend à vivre. Puissent la poésie, les confidences et les enseignements qui suivent vous rejoindre et vous aider à contacter et à transmuter vos propres peurs.

Le mot *quantum* est un mot latin qui signifie *quantité*, mais qui est utilisé en physique nouvelle pour désigner la plus petite unité de mesure tant de l'énergie que de la matière. La physique quantique nous amène tout droit au cœur de l'énergie subtile, de ses mystères et de sa magie, et vient cautionner les grandes lois cosmiques connues jadis des seuls initiés. Elle nous confirme, par exemple, le pouvoir de la Conscience sur la matière.

I

Quand dame la Mort

Anne n'est pas là aujourd'hui. Elle n'est pas revenue me voir depuis l'été, depuis le récit de « son histoire ». Elle va à la vraie école, maintenant. C'est du sérieux. Elle n'a plus le temps de venir écouter les histoires de Lulu.

Ce qui d'ailleurs, je dois vous l'avouer, prend toute la place ces temps-ci, c'est le deuil de ma soeur Solange. Elle est morte en août, l'été dernier. J'ai l'habitude des départs. J'ai vu partir mes parents à quelques mois d'intervalle et quatre de mes frères dans un très court laps de temps. Mais ma soeur Solange, elle, c'était en quelque sorte ma deuxième mère. Elle occupait tellement de place dans ma vie que son absence se fait plus cruellement sentir. Pourquoi es-tu partie si tôt, ma grande ? Nous n'étions pas prêts. Je n'étais pas prête. Tu étais en rémission de ton foutu cancer depuis six ans. Pourquoi est-ce que ça ne pouvait pas durer encore un peu ? Encore quelques mois. Encore quelques années… J'ai un tel vide à la pointe du coeur quand l'envie me prend de te téléphoner. Et ce dernier message de toi que j'ai conservé dans ma boîte vocale et qui me serre le ventre chaque fois que je le réécoute… Toi non plus, tu n'étais pas prête. Tu avais peur de mourir, comme Anne avait peur de vivre. Et surtout, toi, tu voulais vivre. Tu étais pleine de projets !

La preuve pour moi que tu n'étais pas prête, c'est que tu n'es pas partie pour de bon. Tu es comme suspendue entre deux mondes. Tu te promènes. Tu vas chez l'une et chez l'autre. Tu essaies d'entrer en contact avec nous, tes soeurs. Avec Johanne, ta fille. Avec Marise, ton amie guérisseuse, qui te faisait dormir à distance et qui tentait, de toute son énergie, de mettre un peu de baume sur tes souffrances. Ce que tu as souffert, ma grande ! Jusqu'à l'intolérable ! Comme ça ne devrait pas être permis !... Et pourtant, tu tenais tête à la mort. Tu ne voulais même pas en entendre parler. « Il y a pas de presse pour partir, disais-tu. J'ai encore des choses à faire ici...» Tu ne voulais tellement rien savoir de la mort, qu'on dirait que tu lui résistes encore, de l'autre coté de la vie.

Je regrette. J'aurais pu, à l'époque, tenter de t'accompagner de plus près malgré ta résistance. J'aurais pu me donner le mal de relire *Chronique d'un départ* de Daniel Meurois et Anne Givaudan[2] et m'en inspirer pour t'amener à te détacher de la matière. J'aurais pu aussi te lire *Boule de rêve*[3], le magnifique conte de Lise Thouin, un conte qui lui a été inspiré, il y a plus de quinze ans, pour accompagner les enfants en phase terminale de cancer.[4] C'est l'histoire d'un jeune dauphin qui a la nostalgie de sa planète de cristal et à qui il pousse des ailes qui vont lui permettre de voler et de rentrer chez lui. Tu sais, c'est un conte magique, qui fait rêver les enfants et qui a aidé des milliers de petits et de grands à faire le passage. Il aurait pu t'aider, toi aussi, à rêver, à retrouver ton âme d'enfant et à t'envoler. Je n'ai pensé ni à la chronique ni au conte, je le regrette. Quand donc accepteras-tu, toi, de filer vers ta planète à toi ?...

J'aurais pu enfin te lire un autre conte sur la mort que j'ai moi-même écrit, il y a quelques années, et qui propose, comme *Boule de rêve*, une nouvelle image de la mort. En fait, c'est la Mort qui se donne une nouvelle image car... je la laisse parler. Depuis ton décès, j'ai ressorti ce conte. Je l'ai épousseté, retouché un peu, comme je le fais avec toutes mes histoires anciennes. Qu'est-ce que tu dirais si je te le lisais aujourd'hui ? À haute voix, si tu veux... Tu aimais tant

---

2   Meurois-Givaudan, Anne et Daniel, **Chronique d'un départ**, France, Amrita, 1993, 209 p.

3   Thouin, Lise, **Boule de rêve**, Montréal, Fondation Boule de Rêve, 1993, 40 p.

4   Lise Thouin nous livre la genèse de **Boule de rêve** dans un ouvrage autobiographique où elle témoigne au quotidien de ses émouvantes expériences d'accompagnatrice et de passeure auprès d'enfants en phase terminale, de leucémie la plupart du temps. Ce livre, intitulé **De l'autre côté des choses**, a été publié chez Libre Expression en 1996.

m'entendre lire. Écoute bien cette histoire, ma grande. Elle a été écrite pour tous ceux qui ont peur de vivre… leur mort. On dirait qu'elle a été écrite pour toi.

Quand dame la Mort se refait une beauté...

Il était une fois dame la Mort, qui en avait assez d'avoir l'air de la mort, de traîner ses os, de brandir sa faux et de faire peur aux vivants. On lui avait fait une telle réputation à travers les âges qu'elle en était venue à ne plus pouvoir supporter sa propre image. Elle décida de porter un grand coup. Un matin, aux premières lueurs du jour, elle quitta son ténébreux repaire, enfourcha sa faux, et se rendit à la ville. Là, elle repéra une firme de marketing nouveau genre dont le slogan l'intrigua : POUR VOUS REFAIRE UNE IMAGE, OSEZ TOURNER LA PAGE ! Elle entra et tomba sur monsieur le président-directeur général lui-même. Un vieux monsieur à l'air sérieux et fort occupé, en train d'ouvrir sa boutique.

- *Non, Monsieur le Président-Directeur général de la firme de marketing, ne vous sauvez pas ! Je ne vous veux aucun mal. J'ai besoin de vous.*

- *Besoin de moi, vous ?*

- *Oui, je voudrais que vous m'organisiez une campagne de publicité. Que vous imaginiez un panneau-réclame ou… que sais-je… Je voudrais changer mon image. Je veux qu'on m'aime, qu'on cesse d'avoir peur de moi, qu'on…*

- *Une campagne de pub ? La pub de la Mort !... Et vous voulez quoi comme image ? Ça pourrait avoir l'air de quoi, à votre avis, un panneau-réclame de la mort ?*

- *Je ne sais pas, moi. Ça pourrait avoir l'air d'une plante qui sèche et qui donne ses graines à la terre. Puis, d'une plante qui repousse et qui s'ébroue au soleil levant.*

- *Avec l'inscription : « Si le grain ne meurt… », je suppose ! La vision de Gide, calquée sur la vision agro-évangélique ! Vous n'auriez pas une idée moins cliché ?*

- *Attendez ! Peut-être que ça pourrait avoir l'air d'une femme très douce, toute vêtue de blanc et qui ouvre les bras en signe d'accueil.*

- *L'accueil des enfants leucémiques, oui. C'est gai ! Et qui a l'air, en plus, de se mourir elle-même de phtisie. La Dame aux camélias ! La vision romantique ! Très peu pour moi, merci !*

- *Oh, excusez-moi ! Et qu'est-ce que vous diriez d'un bel oiseau intrépide qui foncerait vers le soleil et qui s'éclaterait dans le cosmos ? La fusion avec l'Un, le retour à la Source...*

- *Un nouveau Jonathan le goéland qui se recollerait à la crazy glue et qui continuerait de voler sur un autre plan ! La vision New Age simpliste. C'est pour les illuminés, ça, Madame ! Ce n'est pas si simple. Il y a des conditions...*

- *Écoutez, Monsieur le publiciste, PDG de la firme de marketing, c'est vous le spécialiste des idées, pas moi !...*

- *Justement, j'allais vous proposer une idée. Disons une expérience. Vous savez, pour changer votre image, il vous faut d'abord travailler sur vous, vous déconditionner, vous reprogrammer, changer votre propre vision de vous-même.*

- *Ah oui ? Moi, je veux bien ! Que faut-il que je fasse ?*

- *Venez ! Nous avons tout un laboratoire à l'arrière pour les changements de peau et d'allure. Mais ici, nous offrons plus qu'une nouvelle image. Nous offrons les outils nécessaires à la transformation de la personnalité, voire de l'énergie. C'est ça, la condition essentielle à la modification de l'image.*

- *Oh, je vois que j'ai été guidée au bon endroit. Après vous, Monsieur ! Je vous suis.*

- *Voilà, nous y sommes. Procédons par ordre. Sur les rayons de gauche, vous pouvez voir des centaines de costumes et de nécessaires à maquillage. Il y en a pour tous les rôles, tous les travestissements. Mais ça, c'est pour le camouflage. Ça ne vous suffirait pas à vous. Droit devant, vous avez la panoplie des décapants et des rajeunissants chimiques. Du plus doux au plus corrosif. Ça non plus, ça ne vous suffirait pas. Avec vous, il faut gratter plus en profondeur, je crois.*

- *Vous avez raison. Grattons !*

- *Alors, continuons. Voyez, à droite, nos équipements de chirurgie esthétique et de chirurgie du cerveau subtil. Parfois, il faut réparer quelques circuits usés. Tout à côté, sur les tablettes au mur, nos éprouvettes regorgent d'un très sophistiqué matériel de mutation génétique. Rapide et efficace ! Quant aux ordinateurs que vous pouvez admirer au centre de la pièce, ils offrent les tout nouveaux logiciels de psychothérapie par rechargement des neurones. INTERNET ILLIMITÉ : RECONDITIONNEMENT SPONTANÉ ! Il n'y a qu'à faire marcher vos doigts... C'est du haut de gamme, ça, Madame ! Alors, qu'est-ce que vous choisissez ?*

- *Vous n'avez pas autre chose de plus..., de moins... ?*

- *Ah, Madame n'aime pas les technologies du jour ! Encore moins les technologies futuristes ! Mais oui, nous avons autre chose. Dans le placard du fond, là-bas, il y a tout un stock de gadgets magiques. Des legs d'alchimistes morts ou à la retraite. Vous trouverez des poudres, des métaux, des formules, des baguettes, des élixirs... Libre à vous, si vous préférez les vieilleries.*

- *Et ça, là-bas, dans la cour arrière, qu'est-ce que c'est ?*

- *Ah ça ? C'est une antiquité. Une vieille fontaine de Jouvence que je viens juste de mettre au rancart.*

- *Pourquoi au rancart ? Elle ne fonctionnait plus ?*

- *Au contraire, elle était quasi miraculeuse, mais... elle est démodée.*

- *Mais c'est elle que je veux ! Aux vieux maux, les vieux remèdes ! Et... est-ce que je peux m'y baigner tout de suite ?*

- *Allez-y, chère dame ! Je n'ai pas encore eu le temps de la vider de son eau magique. Et laissez-vous tremper tout votre soûl ! Il n'y a rien de tel que cette solution pour vous nettoyer l'aura et vous débarrasser des mythes...*

Et dame la Mort de sauter dans la fontaine, toute faux en l'air et le squelette cliquetant...

Des heures et des heures plus tard, quand le directeur vint à passer par là, tellement occupé qu'il en avait oublié sa cliente, quelle ne fut pas sa surprise de trouver, dehors, une toute petite fille, on aurait dit une fée, qui s'amusait assise par terre près de la piscine. Il se souvint pourtant... Elle, joyeuse, rieuse, jouait avec des chenilles qu'elle avait trouvées aux abords de la fontaine. Elle jouait à poser les chenilles sur sa main, à les caresser doucement, longuement. Puis, à souffler sur elles qui, dès lors, se transformaient en papillons de toutes les tailles et de toutes les couleurs et... se mettaient à voler.

- *Bonjour, petite. Tu t'amuses ?*

Elle se releva d'un bond, puis, sans se retourner, se mit à danser au milieu des papillons. Aussi légère, aussi gracieuse qu'eux.

- *Bonjour, Monsieur le publiciteur. En effet, je m'amuse. Et je travaille en même temps, vous savez.*

- *À ce que je vois, tu t'es trouvé une nouvelle image pour ta campagne de publicité...*

- *Non, je n'en ai plus besoin. J'ai retrouvé ma vraie nature maintenant. Et je l'aime, vous savez. Et je sais qu'un jour, d'autres l'aimeront. Est-ce que je vous fais encore peur, Monsieur le Président... général de la maison de marketing ?*

- *Je te félicite, petite. La transformation est réussie. Et, non, tu ne me fais plus peur. Mais... j'ai encore une question à te poser.*

- *Allez-y !*

- *Pourquoi les enfants ? Pourquoi viens-tu aussi chercher les enfants ?*

- *Monsieur le Président, je suis contente que vous me posiez cette question. Ça me permettra de tirer une chose au clair. Vous savez, ce n'est pas moi qui viens chercher les enfants. C'est eux qui font appel à moi. Comme les aînés d'ailleurs.*

- *Comment ça pourrait être possible, ça, petite ? Les vieux, ça s'explique toujours. Mais les enfants, ils n'ont pas encore vécu. Comment peuvent-ils choisir de mourir ?*

- *Mais, Monsieur le Directeur, ils ne font pas ce choix consciemment. C'est leur âme qui décide du moment de la métamorphose. Le moment du passage de la chenille au papillon.*

- *Mais pourquoi si tôt ? Mon petit-fils, lui, n'avait pas encore trois ans...*

- *Je suis désolée. Vous savez, il y a mille raisons. La descente dans la matière est un voyage périlleux. Peut-être certaines âmes sont-elles terrifiées. Peut-être ont-elles la nostalgie de leurs ailes. Ou peut-être n'avaient-elles qu'un tout petit bout de chemin à faire sur terre avant de repartir et de voler plus haut. C'est là le mystère de chaque âme, Monsieur le Directeur général. Il faut respecter le choix des âmes et les aider à prendre leur envol.*

- *Je vois... Et c'est ce que tu fais, toi ? Tu es une fée, une sorte de fée passeure ?*

- *Si vous voulez, oui. Moi, je joue. Je joue à aider les âmes à se libérer. La vie est un jeu. La mort est un jeu. Après, c'est encore la vie qui se joue, vous savez. Quand donc les humains apprendront-ils à jouer, comme ça, pour le plaisir, dans l'abandon à la joie du jeu ?...*

- *Ah bon ! Dis-moi, est-ce que tu viendras jouer avec moi, lorsque je t'appellerai ? Il y a une vieille chenille, bien fatiguée, qui dort dans mon lit tous les soirs.*

- *Et une vieille âme qui a bien hâte de se donner des ailes pour voler avec les papillons plus petits, pas vrai ?*

- *C'est ça, tu as tout compris.*

- *Je viendrai. Et n'ayez pas peur, Monsieur le général...*

- *Monsieur, Monsieur ! Pourquoi pas... mon ami ?*

- *N'ayez pas peur, Monsieur mon ami, je ne vous ferai aucun mal.*

- *Et, si tu venais cette nuit, petite ? Je n'ai plus rien à faire ici. Plus rien à prouver.*

- *Vous voulez partir si tôt ? Et subitement ? Vous ne désirez pas prendre un peu de temps pour y penser, pour vous préparer ?*

- *Je suis prêt, je crois. J'ai fait la paix avec mon passé. Et... avec ma vraie nature à moi.*

- *Oh ! Oh !*

- *Ça te fait rire ?*

- *Non ! J'essaie seulement d'imaginer la couleur de papillon qui peut sortir d'un vieux général magicien, faiseur d'images comme vous...*

Voilà, ma grande. J'ai envie de te poser la même question que j'ai posée à ma petite. Est-ce que tu la trouves jolie, mon histoire ? Peut-être t'aidera-t-elle à faire la paix avec ta propre mort... Peut-être t'incitera-t-elle à partir voler avec tes filles, papillons elles-mêmes depuis fort longtemps. Mais, je sais, c'est toi qui décides du moment de l'envol et de la métamorphose. Je sais aussi que ça n'a pas été inutile que tu restes quelque temps avec nous, que tu avais encore des choses à faire et à dire. L'autre nuit, par exemple, lors du contact d'âmes que nous avons eu, toi et moi, par le biais de l'écriture spontanée, tu m'as expliqué le pourquoi de ton calvaire et de façon plus large, le sens de la souffrance. Je me demandais, comme tout le monde, si c'était bien nécessaire ? Si tu avais choisi tout ça ? Et… au nom de quel destin ? Pour payer quelle dette ? Pour apaiser quelle culpabilité ?…

J'ai reçu une réponse très ferme et très claire à ce sujet. Tu m'as soufflé que tes souffrances, ta lente agonie et ton coma t'avaient permis de purifier tes énergies, de les alléger. C'est donc pour ça que mon ami Ghislain percevait ton aura si étonnamment large quand il t'a vue au lancement de mon premier livre, six semaines avant ton décès… Tu as ajouté que ta souffrance t'avait servi à brûler les nuages toxiques autour de toi et de tes proches et à effacer les malentendus. C'est pour ça que tout le monde était si près de toi à la fin, qu'il n'y avait plus ni fermeture, ni mur d'incompréhension, comme dans le temps ? C'est pour ça que tes enfants avaient l'air transfigurés, qu'ils baignaient dans l'amour et que, moi-même, je ne me sentais plus que compassion ?…

Ce que tu m'as dit, en fait, dans tes mots, c'est que la souffrance acceptée et offerte permettait de dissoudre certaines formes-pensées, certains résidus éthériques, voire certaines poussières karmiques, et de transformer l'amour en Amour. Donc, de prendre un raccourci d'évolution et d'accéder plus vite à la paix intérieure et au bonheur. Tu m'as même dit que l'information venait de moi, un jour de confidences et d'enseignements téléphoniques. Que tu ne faisais que confirmer. C'est vrai que je t'avais entretenue de ces choses au début de ta maladie. Tu te sentais tellement coupable d'être malade et de ne pouvoir te guérir. Mais j'étais loin de croire, à ce moment-là, que j'étais entendue. Ni même que j'avais raison…

Ainsi, ma grande, tu as pris un raccourci. Tu as fait un saut évolutif, une sorte de saut quantique… Je me souviens, tu disais depuis des années que tu voulais mourir le plus tard possible afin d'avancer spirituellement le plus possible, en cette vie, et ne pas avoir à te reprendre ou à travailler encore plus fort dans la prochaine. Ainsi, tu as mis tes souffrances physiques au service de l'avancement de ton âme. En supportant ton mal sans révolte, en l'offrant pour un motif supérieur, tu le transmutais. Tu en faisais de l'amour, de la lumière qui se propageait autour de toi et qui nous atteignait tous, qui nous « contaminait ». C'est pour ça que tu cherchais toujours à espacer tes injections de morphine ? Tu voulais te purifier le plus possible ? Tu voulais suivre le modèle des saints et des martyrs peut-être ? Dans un monde laïc et supposément moderne, où la mort est considérée comme absurde et combattue jusqu'à l'acharnement, dans un monde où la souffrance est méprisée et anesthésiée autant que faire se peut, sais-tu, ma soeur, que tu fais quasi figure d'anarchiste ?...

On dira que tu as suivi la voie difficile, que tu as emprunté la *porte étroite* de l'Évangile. C'est sûrement vrai. On dira, à la suite de certains penseurs du Nouvel Âge, que la souffrance est une erreur[5]. En un sens, c'est encore vrai. Et, à la suite de certains optimistes, qu'on peut évoluer dans le plaisir, la prospérité, la santé parfaite, voire l'immortalité… C'est sûrement vrai aussi. Mais qui le fait ? Qui est rendu là ? Le jour où nous aurons transmuté la matière, la souffrance et la mort telles que nous les connaissons ne seront sûrement plus nécessaires. Mais, c'est pour quand la Terre promise, le fameux passage à la *Quatrième* voire même à la *Cinquième Dimension*[6] ? Et

---

5   Dans **Chronique d'un départ**, Daniel Meurois et Anne Givaudan nous éclairent sur le sens et l'origine de la souffrance dans le monde :

        « Dans l'absolu de l'univers, […] la souffrance n'est absolument pas le fertilisant indispensable à l'âme tel que la plupart des religions ont cherché à nous l'inculquer, surtout dans notre occident.

        Elle s'est installée dans notre monde lorsque celui-ci s'est délibérément coupé du chemin d'accès direct à la Source Divine. Depuis, elle est devenue une embûche pratiquement inévitable. […] Elle est l'ultime maillon d'une erreur, d'une méconnaissance que nous transportons avec nous de vie en vie et qu'il faut apprendre à identifier. » (p.120)

    On opposera à cette affirmation que la souffrance de Jésus est une souffrance par compassion et qu'elle ne peut en aucun cas être considérée comme une erreur. À cela, je réponds que l'erreur n'est pas dans le geste de compassion du Maître, mais dans notre geste originel de rupture avec la Source. Jésus le Christ, lui, a identifié l'erreur. Il a tenté de rétablir le lien sacré. Sa souffrance, acceptée, en est une de résonance, mais elle découle de la même rupture originelle.

6   Il s'agit, ici, non des dimensions géométriques de la matière, mais des dimensions de la Conscience qu'on peut définir comme les étapes d'apprentissage de l'âme. L'humanité, actuellement au niveau de la troisième dimension, serait en voie de s'en dégager pour aller vers des plans plus légers et plus faciles. Certaines prédictions nous annoncent même ce passage pour la fin de 2012.

qu'est-ce qui nous attend vraiment en 2012 ? La destruction ultime ou l'ascension ?... Tu as choisi de partir et d'évoluer dans la souffrance et dans la mort, ma sœur. Moi, je crois que tu as suivi ta voie à toi, la seule que tu connaissais et celle qui convenait à ton âme à ce moment-là. Moi, je crois que les chemins sont multiples et égaux devant Dieu. Et que, par voie de conséquence, on ne peut présumer ni juger du chemin des autres...

Je respecte ton chemin et ton rythme, ma grande. Je souhaite seulement qu'au bout du chemin, tu trouves le bonheur. Tu l'as bien mérité le bonheur, tu l'as si longtemps cherché. Et que dirais-tu d'un bonheur papillon sur une planète de cristal ?...

II

Et si la mort n'était pas la mort...

Mais qui suis-je, moi, pour donner des conseils à ma soeur ? Où en suis-je, moi, avec la mort, dans mes rapports avec la mort ? J'ai tant essayé de l'apprivoiser. J'ai tant écrit sur elle. Je lui ai tant écrit à elle. Depuis près de trente ans, chaque fois qu'un membre de ma famille proche décède, je lui consacre un poème hommage que je lis à l'église à l'occasion du rituel funéraire. Avec le recul, je me demande pourquoi j'ai pris ce contrat. Pour honorer le défunt, sans doute, pour le saluer, pour finir correctement ma relation avec lui. (Ma grande méritait bien ça...) Peut-être aussi pour ma propre satisfaction, pour faire reconnaître mes talents de poète... Mais je crois surtout que c'est pour créer de la beauté autour d'un événement aussi éminemment sombre pour moi. Histoire de faire diversion à ma peine, de tromper le deuil, d'exorciser ma peur, assurément...

Mon premier poème hommage fut dédié à ma mère en l'année 1980. Il prenait l'allure d'une prière que j'avais mise dans sa bouche. Il traduisait la piété de ma mère, mais surtout, mon angoisse à moi face à la mort :

[...]

Et pourtant Seigneur !
Et pourtant j'ai peur !

Au moment d'entrer chez toi
j'hésite à pousser la porte...

[...]

Ma mère est morte comme elle avait vécu, dans la résignation et le silence absolu. J'ignore si elle avait vraiment peur de se retrouver devant son Créateur. À l'époque, j'ai cru que oui et je suis portée à le croire encore. Mais dans mon cas à moi, du plus loin que je me souvienne, j'ai été terrorisée par la mort. La mort des autres d'abord.

Quand j'étais toute petite, alors que je n'avais pas encore deux ans et demi, on m'avait juchée sur le cercueil de ma grand-mère. On voulait que je l'embrasse une dernière fois. Il paraît qu'elle m'adorait et que, dans les derniers mois de sa vie, elle demandait souvent qu'on me hisse sur son lit. Là, je crois me souvenir que je lui caressais le visage doucement, comme on caresse un oiseau, et qu'elle me disait: « Des minouches ! Encore des minouches ! J'aime ça... » Je l'aimais aussi, d'un amour sans mesure, d'un amour d'âme, je crois. Ce jour-là, j'ignore si c'est la peine trop grande ou le contact avec cette peau grise et moite qui m'a glacée d'horreur, mais il paraît que j'ai sangloté toute la journée : « Pourquoi on l'a enfermée dans le salon, mémère ? Pourquoi elle est froide ? Pourquoi ses yeux sont fermés ? » Et, quand on me répondait : « C'est parce qu'elle est morte. », je ne comprenais pas : « Pourquoi elle est morte ? Pourquoi elle me répond pas ? » Je n'ai jamais compris... J'étais inconsolable. À compter de ce moment, je crois que la mort a pris pour moi couleur de rupture et d'abandon.

Quelques années plus tard, alors que j'allais à l'école du rang, c'est l'idée de ma propre mort qui me dérangeait. Et ce qui me glaçait d'horreur, c'était l'image de la fosse dans laquelle on ensevelissait les morts. Il me semblait inhumain qu'on livre ainsi un corps aux vers et à la solitude. Je croyais à l'époque que c'était les vers de terre qui mangeaient les morts... De plus, tous les matins ou presque, au catéchisme, la maîtresse nous décrivait l'enfer avec force détails et nous menaçait de ses feux. Dans ma tête d'enfant, l'enfer c'était la tombe, le trou noir où l'on déposait le cercueil ou, du moins, c'en était l'entrée. J'avais alors imaginé un moyen d'échapper à l'enfer et aux vers. J'avais pris la résolution de demander à mes parents qu'ils ne me fassent pas enterrer au cimetière quand je mourrais, mais plutôt qu'ils déposent la boîte au soleil, dans les champs. Et avec le couvercle ouvert, bien entendu, pour que je ne me retrouve pas seule dans le noir. Évidemment, je n'avais pas pensé aux loups qui allaient me manger à coup sûr... Mais à choisir, je crois que je préférais déjà les canins aux rampants.

Avec le temps, mon rapport à la mort s'est quelque peu modifié. J'ai toujours été de santé fragile. On m'a raconté qu'à ma naissance, je vomissais du sang et que, craignant pour ma vie, on m'avait ondoyée sur le champ. À 12 ans, une fièvre étrange et secrète a failli m'emporter. À l'aube de la quarantaine, j'ai frôlé la mort à l'occasion d'un coma diabétique sévère, provoqué par un jeûne en clinique sur une île des Bahamas. De quoi démystifier la Dame noire, me direz-vous ! Mais il ne s'agissait pas, dans mon cas, de N.D.E. (Near Death Expérience - Expérience de mort clinique). Je n'ai jamais vu ni tunnel, ni lumière au bout du tunnel. Et au sortir de mon coma, je me suis sentie traumatisée, dévastée. J'ai compris que j'avais besoin d'aide et j'ai entrepris une thérapie, la première d'une longue série. Parallèlement, je me suis mise à des lectures sur le mourir. Kübler-Ross, Moody, Levine, Van Eersel sont devenus mes amis et m'ont fait beaucoup de bien. La mort m'est alors apparue moins menaçante.

Et si la mort...

Et si la mort n'était pas la mort ?
La noire faucheuse qui fauche sans remords
un corps noir dans un trou noir
et le noir désespoir de ceux qui restent...

Et si la mort n'était pas l'échec ?
La victoire du géant, la défaite du nain
la vengeance des dieux, la condition de l'humain...

Et si la mort n'était pas la fin ?
La déchirure du rêve
l'espoir avorté, la naissance du néant
et l'absence toute noire
et le vide de ceux qui restent...

À l'époque de ce poème, je venais de m'inscrire à une formation en accompagnement de mourants à l'UQAM. Cela me forçait à la lecture et à la recherche. J'explorais *Le Livre des morts tibétains*. Je faisais des travaux sur les visions hindouiste et bouddhiste de la mort. Je faisais traduire les méditations de Stephen Levine sur le mourir. Je me souviens avoir créé moi-même un long rituel pour faciliter le passage vers la mort. De plus, je visitais, à l'occasion, des membres de ma famille et des amis en phase terminale et qui avaient du mal à décrocher. Je leur parlais doucement de la mort et de ce qui vient après. Je lisais pour eux. Je les encourageais à la dédramatisation, à la sérénité, au lâcher-prise. Parfois avec succès... Ma voix, paraît-il, calmait leur terreur. Je crois aujourd'hui, avec le recul, que c'était pour apaiser ma propre peur et mes résistances tenaces que je m'adonnais à ce bénévolat.

C'est pour ça aussi que j'allais de démarche en démarche. Car, après une série de régressions dans l'enfance pour y débusquer les traumatismes occultés, j'avais entrepris une démarche de *past life* qui consistait en des régressions dans les vies antérieures cette fois. Je voulais connaître la source de ma peur. Je voulais transmuter ma peur, toutes mes peurs. Je voulais aussi aller à la source de mes problèmes de santé grandissants et tenter de les régler. Je me souviens qu'au début de ma démarche, je ne croyais pas du tout en la réincarnation et que j'étais sûre d'inventer les histoires que je racontais. Puis, il a fallu que je me rende à l'évidence, que j'aie l'humilité de « ma » vérité... Les personnages qui défilaient sur mon écran intérieur, quand j'étais en état modifié de conscience, ne pouvaient être qu'en moi-même tant leurs problèmes ressemblaient aux miens et tant ils m'éclairaient sur la nature profonde et l'origine de ces problèmes. Avec le temps, je reconnus que tous ces personnages étaient moi, ou des facettes de moi toujours vivantes, que leur histoire était mon histoire et que, pour guérir, je devais reconnaître et assumer cette histoire.

À l'occasion de ces régressions, je pris également conscience que, si la vie revenait sans cesse, la mort n'avait plus autant d'importance.

Et, si la mort n'était rien... ou presque ?
    Rien qu'un jeu, rien qu'un passage
Et si la vie se vivait après ?
    De l'autre côté du miroir ou... du mirage
    quelque part au delà des nuages
    en attendant ceux qui restent...

Et si la mort était... la vie ?
    La vie qui se repose un peu
    qui se refait des forces
La vie qui se refait provision de rêve et d'espoir
    et de lumière
    en attendant ceux qui restent...

Et si la mort avait une fin ?
Et si la vie revenait sans cesse et sans cesse
    réunir ceux qui meurent, tour à tour
    et ceux qui restent ?
    Jusqu'aux dernières épousailles
    jusqu'à la fusion, jusqu'à Dieu... retrouvé
    jusqu'à l'éternelle immortalité
    et l'Amour sans fin, sans fin, sans fin...

Aujourd'hui, fort longtemps après ces régressions, grâce à mes recherches et surtout grâce au rapprochement avec mon Être intérieur, la réincarnation est devenue pour moi une réalité toute naturelle. Elle fait partie, j'en suis maintenant convaincue, des outils mis à notre disposition, après la rupture avec Dieu, pour guérir et polir nos âmes. Elle est le fait de l'amour divin et de la justice divine. J'ajouterais de la logique divine dont nous participons et à laquelle nous participons tous. Car, si on y réfléchit bien, dites-moi comment les enfants qui meurent avant terme ou en bas âge pourraient atteindre la maturité spirituelle s'ils n'avaient qu'une vie, c'est-à-dire qu'une chance ? Et, puisque la vie est une école, dites-moi comment nous pourrions, tous et chacun, tout apprendre en une seule existence ?...

À ceux qui nient la réincarnation parce qu'elle n'est pas confirmée dans la Bible, je souligne qu'il reste quelques passages bibliques qui y font allusion. Le plus connu est celui qui rapporte que le prophète Élie serait revenu dans le corps de Jean-Baptiste (Matthieu, XVII, 9-13). Je souligne d'autre part que la Bible, tant le Nouveau que l'Ancien Testament, est une compilation de textes inspirés mais... écrits, traduits, rassemblés, interprétés et expurgés par des hommes[7], qu'elle fut souvent subordonnée à des intérêts politiques et à des luttes de pouvoir et qu'il faut peut-être recourir à des textes sacrés hors Bible et moins censurés pour avoir une image plus complète de nos origines, de notre bagage et de notre filiation génétique, en un mot, de notre histoire spirituelle.[8]

---

7   Il semble que ce soit au IVième siècle, sous Constantin (l'empereur converti qui s'est proclamé « champion de la foi » et qui a fait du christianisme la religion officielle de l'empire romain), que le Nouveau Testament ait été mis en forme, élagué, et expurgé de ses références à la réincarnation. Mais il faut attendre le deuxième Concile de Constantinople, réuni par l'empereur Justinien en 553, pour que soient condamnés les enseignements d'Origène, un théologien réincarnationniste du IIIième siècle, et que soit déclaré anathème quiconque « croit à la fabuleuse préexistence des âmes qui a eu pour conséquence l'idée monstrueuse qu'elles retournent dans la suite des temps à leur état primitif »...

Ce pourquoi la thèse de la réincarnation semblait menacer à la fois l'État et l'Église, étroitement liés à l'époque, c'est qu'elle offrait aux âmes une chance continue de salut et donc qu'elle éloignait la perspective de l'enfer éternel. Ce faisant, elle risquait de rendre les « sujets » moins dépendants et moins soumis à l'autorité civile et religieuse.

8   Je pense aux évangiles apocryphes (ceux qui ont été exclus du Nouveau Testament), dont les évangiles de Philippe, de Thomas, de même que celui de Judas qui suscite tant d'intérêt ces temps-ci. Et surtout, celui de Marie-Madeleine qui a connu plusieurs tra-

Pour en revenir à mon histoire à moi, c'est cette exploration de mes passés chocs, je me souviens, qui m'a amenée à l'écriture thérapie. Avant, je ne m'étais livrée qu'à l'écriture hommage. Chaque fois que je revenais d'une séance un peu difficile, je m'enfermais avec mon stylo et mon cahier et je laissais monter les mots. Étonnamment et quasi infailliblement, ces mots, parfois coups de fouet, parfois scalpel, s'agençaient en poèmes. Pour dédramatiser les événements, je suppose, comme dans le cas de la mort. Pour embellir une réalité difficile à accepter. La forme, pour moi, a toujours eu tellement de pouvoir sur le sens... C'est la poésie, en tout cas, qui m'a fait descendre en moi, qui m'a amenée à voir que la peur de mourir était la soeur jumelle de la peur de vivre ou sa face cachée. Et que ces peurs étaient celles de tous les humains, qu'elles remontaient à la nuit des temps et qu'elles étaient le propre de la condition humaine. Anne n'a rien inventé. Ma soeur aînée non plus. C'est la poésie thérapie, également, qui m'a permis de poursuivre ma quête.

---

ductions et éditions depuis quelques années et qui, lui, décrit le voyage de l'âme à travers les mondes et les cycles de vie.

La réincarnation est une idée admise depuis toujours. Elle est de toutes les cultures et de toutes les philosophies anciennes, y compris de la tradition chrétienne des premiers siècles, comme le souligne Saint Jérôme dans ses écrits. Plusieurs Pères de l'Église y croyaient et témoignaient explicitement de leur croyance. Saint Grégoire de Nysse, par exemple, attestait : « Il y a nécessité pour l'âme d'être purifiée et guérie. Si elle ne l'a pas été dans sa vie terrestre, la guérison s'opère dans ses vies futures et subséquentes. »

III

Et pourquoi pas le bonheur ?

Ma peur de mourir et ma peur de vivre m'ont toujours semblé les manifestations évidentes de mon inaptitude au bonheur. Ma quête première, à l'instar de la vôtre et de celle de tous les humains, était la quête du bonheur. Mais d'un bonheur qui m'est longtemps apparu inaccessible, voire impudique...

Pourquoi était-ce si ardu pour moi d'être heureuse ? Une enfance perturbée, des deuils traumatisants, une éducation étroite, des rêves brisés d'adolescente, une santé déficiente ? Peut-être. Mais surtout, je crois qu'un idéalisme et qu'un perfectionnisme sans cesse déçus m'avaient fait porter sur le monde un regard désabusé. Un regard que mes études littéraires, mes lectures, mon attrait pour la mythologie, la tragédie grecque et les poètes maudits ont plus tard renforcé. Il s'agissait d'un fatalisme profond. Un fatalisme à la Sisyphe, ou plutôt à la Camus, pour qui l'unique dignité résidait dans la lucidité et l'acceptation de l'absurde. C'est-à-dire dans le choix de l'homme de se tenir debout et de recommencer à pousser, sans relâche, son rocher pour lui faire remonter la montagne après chaque nouvelle chute.[9] Et, même si Camus avance ultimement qu'il faut imaginer Sisyphe heureux, je ne suis pas d'accord. Je crois que, dans cette vision du

---

9   Camus, Albert, **Le mythe de Sisyphe**, Paris, Gallimard, 1942, 176 p.

monde, il n'y a de place que pour l'honneur, non pour le bonheur. Et l'honneur est affaire d'ego. Ça me connaît. À quatorze ans, je pensais déjà et j'affirmais qu'être libre, c'était accepter ses chaînes. Avec dignité, avec grandeur... Ma rencontre avec Sisyphe n'a fait que nourrir en moi une vision et un conditionnement qui étaient déjà dans mon bagage génétique et karmique.

En choisissant l'introspection, j'avais choisi d'alléger ma vision. Mais les séances alourdissaient temporairement le bagage en faisant remonter à la surface des expériences de plus en plus douloureuses que je ne savais pas encore transmuter. Un jour de plus grande vulnérabilité et sans que je l'aie prémédité, m'est venu un poème bilan sur mes démêlés avec le bonheur. Un poème fort révélateur sur la cause profonde de mon inaptitude au bonheur.

Le bonheur et moi...

Le bonheur et moi, on était en chicane
          depuis longtemps
          des vies peut-être
On se boudait
Ou plutôt, c'était moi qui boudais
          lui, il s'en fichait
          lui, il était heureux sans moi
          je crois
Vous pouvez imaginer le bonheur malheureux ?
Pas moi...

Mais, il était moins heureux tout de même
Il aurait préféré que je m'occupe de lui
          un petit peu
Que je joue avec lui
          des petites fois
Alors, il attendait, dehors
          caché là, tout près
Il m'attendait patiemment
          tendrement
          comme un tendre amant
          et faisait des culbutes en m'attendant

Moi, je boudais

Moi, j'étais occupée...
Je m'occupais à guérir de vieilles blessures
mal fermées
Moi, je triturais les cicatrices
Je récurais le dedans
jusqu'à la moelle
Je bridais les plaies

Moi, j'étais occupée à être malade
un peu, beaucoup... à la folie
Moi, je souffrais
à temps plein et à plein cœur
et attendais que ça finisse pour être bien
Pendant ce temps, dehors
le bonheur, lui, attendait
là, tout près
et faisait des culbutes
en m'attendant

Moi, je ne le voyais même pas
ne le regardais même pas
Oh, parfois, peut-être, en coin
le temps d'un clin d'oeil
d'un désir furtif
d'une nostalgie peut-être...
Lui, m'épiait, je crois, m'appelait
me faisait des signes discrets
tentait de me séduire, lentement
comme un vieil amant
puis, dehors
faisait des culbutes
en m'attendant

Mais, hier, ou l'hier d'avant
il s'est fait plus pressant, le bonheur
Ou je me suis faite moins sauvage, qui sait...
Il a frappé un grand coup, le bonheur
juste là, à la place du cœur

Il s'est amené sans saluer, puis, m'a dit :
- *Prends-moi, je t'en prie, je m'ennuie*
      tout seul dehors
- *Comment ça, prends-moi ?*
   Je croyais...

- *Tu croyais que c'était à moi...*
   Tu croyais que le bonheur allait venir
         comme un voleur
            et te prendre malgré toi ?
   Tu croyais que le bonheur, ça s'attendait
         en attendant et en souffrant ?
   Non, ma grande, le bonheur, ça se prend
   Tu n'as qu'à être heureuse puis, VLAN !
- *Comme ça, un beau matin, pour rien ?*
- *Comme ça, un beau matin, pour rien !*
   Juste parce que tu le veux et que...
- *Et que tu le veux aussi ?*
- *Non ma grande. Moi, il y a longtemps*
         que je fais des culbutes, dehors
         en t'attendant...

- *Et alors, ma grande ?*
- *Alors... Alors, finie la bouderie !*
   Entre bonheur, que je lui ai dit
Et il est entré...
Alors, le bonheur et moi on s'est regardés
         longuement
            et on s'est trouvés beaux comme des enfants
Alors, le bonheur et moi on s'est donné la main
         et on a fait une culbute ou deux en attendant

En attendant de voir... dedans
   LE BONHEUR
   ET MOI
   AMANTS
   TOUT LE TEMPS...

Par delà l'exercice de lucidité, ce poème avait pour fonction ultime de programmer le bonheur, de l'inscrire rétroactivement dans mes gènes. Quoique non encore tout à fait convaincue, je commençais, à l'aube de la quarantaine, à jongler avec les concepts spirituels de l'autoresponsabilité et de la cocréation. Sisyphe reculait... C'est comme si j'avais tout à coup eu la révélation que le bonheur était un choix et que je n'avais qu'à faire ce choix: *Amants tout le temps...* C'est écrit, ça va arriver ! C'est comme pour le conte de ma petite Anne : *Fin* ou *Ainsi soit-il...* et c'est dans la poche ! Les choses ne sont peut-être pas aussi évidentes pour tout le monde. Je crois de plus en plus que le bonheur est un choix. Mais quand sommes-nous aptes à faire ce choix ? Il y a des gens qui semblent naturellement doués pour le bonheur. D'autres qui doivent, jour après jour, suer à gravir leur montagne pour y accéder.

Après l'écriture de ce poème, je me rappelle que je me suis mise aux affirmations positives. Tous les matins, pendant des mois, j'ai affirmé mon choix du bonheur. Suis-je arrivée à le saisir ? Jamais totalement. Jamais de façon magique en tout cas. Les choses sont rarement aussi simples pour moi. Disons cependant que je me sens plus apte aujourd'hui, plus disponible. Mais... qu'est-ce que le bonheur ? Et qu'est-ce qui en bloque l'accès à la plupart des humains ? Faut-il attendre la mort et la planète de cristal pour être heureux ?...

Anne, elle, a l'air heureuse maintenant. Et Nicolas aussi. Est-ce que seuls les enfants ont accès au bonheur ? Je devrais peut-être dire « les enfants choyés »... Et pourquoi les enfants sont-ils plus aptes que nous au bonheur ? Parce qu'ils vivent dans leur monde à eux sans doute, dans leur bulle ? Parce qu'ils ne sont pas conscients des guerres, des génocides, des cataclysmes naturels ? Parce qu'ils n'écoutent pas le bulletin de nouvelles ?...

Le concept de bonheur m'a toujours fait penser à Tarzan. Quand j'étais enfant et que je lisais la BD dans le journal de fin de semaine, je me disais que Tarzan devait être follement heureux et je l'enviais. Il ne pouvait pas ne pas être heureux, lui... Il était beau, fort, musclé, jamais malade. Il voyageait de liane en liane. Il volait, devrais-je dire, comme moi dans mon rêve d'enfance le plus cher. En pleine liberté, sans obligation de travailler, mais toujours prêt à secourir un faon blessé. Par surcroît, il pouvait séduire les panthères, terrasser les boas, domestiquer les éléphants. Il était pour moi le prototype de l'homme libre, puissant, bon et heureux. Plus tard, j'ai été fascinée par la chanson de Serge Lama *Et Tarzan est heureux*. Je n'ai jamais pu retenir les couplets de cette chanson, je n'entendais que le refrain. Je ne me souviens même pas si Tarzan y était vraiment heureux. Mais je me suis fait mon histoire à moi, quelque peu surréaliste, avec le bonheur de Tarzan et la chanson de Lama[10]. Je me souviens que ma sœur Solange adorait ce poème... sa partie chantée, son rythme, sa délinquance...

Et Tarzan est heureux...

ET TARZAN EST HEUREUX... (refrain chanté)

Ce matin, j'ai entendu l'oiseau. Ce matin, j'ai vu l'arbre dans ma cour. Ce matin, par les cils de ma persienne, entrouverts, j'ai tout vu, tout entendu. J'ai entendu l'arbre et vu l'oiseau qui tout haut conversaient et tout bas se bécotaient.

L'arbre et l'oiseau parlaient gibberish. Ils disaient qu'ils s'aimaient et que le soleil était si fier et qu'il faisait si vert dehors et que la vie valait plus que la mort et que ça sentait bon le foin coupé et que le jardin regorgeait de gadelles, tant ils s'aimaient tant, et que les mûres mûrissaient et que les fleurs dans les bacs succédaient aux fleurs et que le maïs poussait à plein champ tout autour et que les tourterelles faisaient la fête aux tournesols qui se laissaient déshabiller en tremblant. Ils disaient qu'ils m'aimaient et que tu m'aimais et que Champion veillait au grain et que le saule pleurait de plaisir sous l'hommage du vent qui le déflorait feuille à feuille et que la vie vivait, tant on s'aimait tant, et que le ciel bénissait tout ça et que les éphémères pressés s'offraient goulûment aux caresses des nymphes de ma piscine.

ET TARZAN EST HEUREUX...

Les dieux de l'Olympe, pendant ce temps, là-bas, dans la Grèce antique, réglaient leurs comptes entre eux et déversaient sur la planète les flots d'une colère incontenable dont les éclaboussures jaillissaient jusqu'au Koweït et jusqu'à Kanesatake, tout à côté. Et le pétrole coulait dans le Golfe persique et inondait les réserves ghettos. Et les Mohawks, pollués, tiraient des roches aux Français, qui eux, tiraient la langue aux Anglais, qui eux, tiraient la pipe aux Arabes, qui eux, profanaient les ossements du juif René Lévesque, qui lui, s'en fichait...

Pendant ce temps, là-bas, dans sa jungle natale, Tarzan boudait la politique et se masturbait, mort de rire, sous les yeux complaisants d'une gazelle en chaleur. Tarzan était heureux...

---

10   **Et Tarzan est heureux**, paroles et musique de Serge Lama (1977).

Et Tarzan est heureux...

Et pendant ce temps, dans ma cour, l'arbre et l'oiseau continuaient de se bécoter et de deviser en gibberish. Ils disaient que les hommes s'aimaient et que le soleil était si fier et qu'il faisait si bon dehors et que la vie valait plus que la mort, tant il est temps que la vie dure encore, et que les champs sentaient vert le foin coupé et que les mûres succédaient aux gadelles hors les bacs et que la fête continuait au coeur des tourterelles, tant les hommes s'aimaient tant, et que le ciel veillait sur les éphémères en fleurs et que Champion, de la patte, bénissait tout ça.

Et heureusement que je connais le gibberish et que Tarzan, ce matin, a refusé de lire les journaux...

Et Tarzan est heureux...

L'ironie est l'arme de la lucidité et souvent du fatalisme. En vieillissant, j'avais compris que Tarzan était heureux parce qu'il était inconscient. Un grand innocent, aurait dit ma mère ! Un enfant ! Il n'était nullement ému, lui, à l'époque, par la Guerre du Golfe de papa Bush, pas plus que par la révolte, chez nous, des Mohawks contre les Blancs. Je suis sûre qu'il ne s'en fait pas davantage, encore aujourd'hui, avec la guerre du fils Bush en Afghanistan et en Irak, avec la nouvelle crise à Kanesatake ou avec le réchauffement de la planète. Alors, dites-moi, le bonheur est-il un choix délibéré ou le fruit de l'inconscience ?...

J'ai pourtant connu des moments de bonheur conscients et vrais dans ma vie. Et pas seulement après mes changements de cap métaphysiques. Et pas seulement après la création du poème *Le bonheur et moi*. Je devrais peut-être plutôt parler de joies cependant. Des joies générées par ma carrière de prof de français de cégep d'abord. Des petits bonheurs d'enseignante libre-penseur, un peu rebelle sur les bords, qui aimait les jeunes et qui les initiait à la liberté de pensée, de parole et surtout de création. Mais aussi, des joies toutes simples, générées par mes contacts avec la nature, le potager, les fleurs, les arbres. Générées par mon amour pour les animaux aussi, que j'élevais alors juste pour le plaisir, après l'acquisition de ma fermette. Il y avait les poules, les canards, les lapins. Il y avait les chèvres. Il y avait Cognac, mon gentil cheval. Et Myrka, ma chienne fidèle. Sans oublier Champion, le costaud, qui lui a succédé... Je crois, cependant, que les plus grandes joies pour mon âme venaient du spectacle de la vie, de la liberté du vent, du retour du printemps, de la pousse des bébés feuilles...

Quand il fait printemps...

Quand il fait printemps comme ce matin
et que mai me fait des avances
je sors mon âme au soleil, la couche
et la laisse s'étirer, se dorer et ronronner
Car mon âme est un chat qui sommeille
et qui aime paresser au soleil de mai...

Quand il fait ciel bleu comme ce matin
- aussi ciel, aussi bleu, aussi matin -
je laisse mon âme s'élever, planer, plonger
et se « passer au bleu »
Car mon âme est une aile d'ange qui sommeille
et qui, à même le ciel
aime se refaire une beauté au soleil de mai...

Quand il fait vent d'ouest comme ce matin
vent rafale ou vent caresse
j'abandonne mon âme à la danse
et la laisse, légère
voleter, tourner, sauter, tourbillonner
Car mon âme est une ballerine qui sommeille
et qui aime s'éclater au soleil de mai...

Quand il fait hirondelle comme ce matin
et fleurs de pommier et chardonneret et lilas
et mésange et gazon frais et basse-cour d'alléluias
je laisse mon âme draguer et se laisser séduire
et se griser de rires, et rêver
et dire et dire et dire...
Car mon âme, ce matin, ce vent, ce printemps
est un coeur qui sommeille
aime et s'éveille sous le soleil de mai...

C'était peut-être ça tout simplement le bonheur, des moments de grâce passagers... Qu'avais-je tant à chercher le bonheur ailleurs, toujours plus loin ? Pourquoi est-ce que je m'acharnais tant, à l'époque, à tout comprendre, à tout expliquer ? Pourquoi est-ce que je vouais un tel culte à la connaissance ? Sûrement parce que mon mental, toujours inquiet, cherchait l'origine de sa peur. Sûrement aussi parce que mon Sisyphe intérieur croyait encore que la lucidité, que la « vérité », était l'unique chemin vers la dignité. Aujourd'hui, je crois que ce sont tous les petits gestes de changement qui mènent à la dignité. Et... au bonheur, peut-être...

Mais la question reste posée : Qu'est-ce que le bonheur ?... Quand, par curiosité, j'ouvre *Le Petit Robert* au mot *bonheur*, je vois déferler une orgie de synonymes : chance, réussite, bien-être, joie, plaisir, béatitude, félicité, contentement, enchantement, euphorie, extase, ravissement... Un chausson aux pommes avec ça ?... Nulle part, je ne trouve les mots : sérénité, paix intérieure, harmonie avec la création, amour de soi, amour de la vie, conscience... Je ne consultais pas le dictionnaire à l'époque de ce poème pour définir le bonheur, mais je travaillais fort pour me libérer de mes peurs, pour me réconcilier avec la vie et avec moi-même. Peut-être y ai-je un peu réussi...

IV

Mais la mort, toujours là

La mort était évidemment très présente sur la ferme, où les deuils succédaient aux deuils. Les bébés canards noyés d'épuisement dans la piscine, Frisé, le veau dépressif, mort parce qu'on l'avait séparé de son copain Bedaine, les chats qu'il fallait abattre parce qu'ils étaient trop nombreux à nourrir, les chevreaux si fringants qu'il fallait conduire à l'abattoir, la larme à l'œil. Cela faisait un chapelet d'adieux que je devais égrener sans cesse.

Sur la ferme, la mort me semblait quand même plus naturelle. Elle me semblait dans l'ordre des choses. Des animaux qui naissaient, d'autres qui mouraient, même pour garnir le congélateur, c'était le cycle de la vie. C'était à l'image du cycle des saisons. J'acceptais ces morts avec un pincement au cœur, mais je ne paniquais pas. Jusqu'au jour où, je me souviendrai toujours de ce soir d'hiver, je ne trouvai pas Myrka à la maison en rentrant de travailler. Je crus à la fugue. Je l'attendis. Elle ne revint jamais… J'appris une semaine plus tard, par un voisin, qu'elle avait été frappée et tuée par l'autobus scolaire qui sillonnait la campagne. Je ne retrouvai même pas son corps.

Myrka n'allait jamais se promener sur la route toute seule. Cela lui était interdit et elle n'avait jamais transgressé la consigne. Je compris après coup ce qui avait dû se passer. Le dernier matin, quand je l'ai quittée, elle avait eu pour moi un regard sombre, infiniment triste. Un regard muet mais qui disait tout... Un regard d'adieu. Ma vieille amie chien, ma soeur, n'en pouvait plus de fatigue, de douleur et de froid. À l'exemple des légendaires éléphants africains,[11] à l'exemple des anciens de certaines communautés inuit ou amérindiennes, à l'exemple de la vieille dame du film japonais qui m'a tant marquée, il y a quelque vingt ans,[12] elle avait opté pour le suicide. Elle avait marché péniblement jusqu'au rang et s'était jetée devant le premier véhicule venu.

De toutes les pertes subies dans ma vie adulte, de tous les deuils encaissés, je crois que c'est la mort de Myrka qui m'a le plus ébranlée. (À part, bien sûr, la mort de ma grande, toute récente.) Je retrouvais là, sans doute, le sentiment de rupture et d'abandon laissé par le départ de ma grand-mère... J'ai senti le besoin alors, pour exorciser ma peine, de faire ce que je faisais pour les membres de ma famille humaine. J'ai écrit à Myrka un poème hommage que j'aimerais partager avec vous.

Te souvient-il, Myrka ?...

Te souvient-il, Myrka ma jolie, de la vie ? De la vie chez moi, de la vie chez nous ? De ces presque neuf ans ? Te souvient-il du premier jour, des adieux à Josée, de la laisse pour te retenir, de ton regard désemparé, du long et difficile recommencement ?

Te souvient-il de la liberté, un matin de juillet, de tes neuves gambades dans les champs, de tes jeunes chasses dans les fossés et de tous ces trophées que tu alignais sur le gazon dans l'attente d'une caresse, d'une

---

11   La présence de cimetières d'éléphants en Afrique est contestée par les scientifiques en quête de preuves indiscutables. Mais, d'après mes sources personnelles, plus ésotériques, des éléphants trop vieux ou trop malades se retirent vraiment dans des endroits sacrés pour mourir. Certains se suicideraient même en se jetant en bas de gros rochers qui surplombent vallées et précipices.

12   **La ballade de Narayama**, de Shohei Imamura (1983). Ce film raconte l'histoire d'une vieille dame qui choisit, avant d'y être contrainte par la coutume de son village, d'aller mourir sur la montagne. Elle s'y fait amener par son fils qui la porte sur son dos. Elle a soixante-dix ans... C'était l'âge de la vieillesse dans cette communauté où la pauvreté exigeait le sacrifice des aînés.

gâterie ? *Te souvient-il des mouffettes dans leur cache, des rats musqués sous les ponts des décharges, des mulots et des souris inlassablement débusqués dans la grange et les remises, des taons attrapés au vol, et même des moineaux imprudents. Quand ce n'étaient les canards domestiques... Je n'ai jamais très bien réussi, je le confesse, à te faire distinguer la chasse admise de la chasse interdite, le mollet ami du mollet à mordre, le bien du mal. Pour toi, tout était gibier, Pierre-Paul et Jean-Marc y compris. Pour toi, tout était permis, hormis la tromperie... Te souvient-il ?*

Te souvient-il de nos escapades museau dans la main, à travers champs, de nos invasions en territoire ennemi à travers rangs, de la guerre menée aux chiens plus gros, plus forts, de tes replis sanglants, de tes revanches glorieuses sur les chiots, les chats et les pneus d'autos ?

Te souvient-il de notre famille ancienne ? De Brunette, de Beauté, de Cognac, de Bedaine ? Des bébés chèvres à renifler, de l'affection à partager ?

Te souvient-il des étés ? Des jardins, des arbres, des fleurs à faire pousser ? Des fêtes, des amis, des paresses au soleil, des longs moments d'intimité ?

Te souvient-il de nos jeux, de tes séductions, de ta façon de me faire marcher, de nos complicités ?

Te souvient-il des coups durs ? Des deuils, des dangers que tu venais m'annoncer la nuit sous ma fenêtre, des mains en larmes que tu léchais, des maladies que tu veillais ?

Te souvient-il de tes fragilités, de tes caprices de table, de ta terreur du vent et de la foudre, de tes hurlements à la lune par les soirs de loups-garous ou... d'apocalypse ?

Te souvient-il de la naissance et de la mort des saisons, des grands froids à supporter, de mes fugues quotidiennes, de nos séparations ?

Te souvient-il de cet hiver, le dernier, de tes rhumatismes de vieille dame âgée, de tes paniques solitaires, de tes angoisses de chien mourant ? Te souvient-il ?

Myrka la chasseresse, Myrka la guerrière, Myrka la déesse, Myrka la cerbère, Myrka la fidèle, Myrka la tendre, Myrka la libre, Myrka la fière. Myrka ma vieille, Myrka mon amie, Myrka ma soeur. Te souvient-il au nom de quelle guerre, au nom de quel destin, les chiens vont mourir au loin, comme des chiens ?

Myrka, ma jolie, dis, te souvient-il au moins de la vie ?...

Je n'avais pas dit à Myrka que je l'aimais, le matin de son départ. Je ne savais pas. On devrait toujours dire aux êtres chers qu'on les aime, leur offrir ce petit bonheur. On devrait le leur dire tous les jours, juste au cas... Je sais cependant que ma chienne a été très touchée, dans son paradis, par ma déclaration d'amour posthume. J'aime ce poème. Il est senti et il porte le rythme et l'énergie de Myrka.

La vie vient de me mettre en contact avec une autre histoire de suicide, une histoire vraie qui m'a remuée et fait penser à Myrka. La romancière Noëlle Châtelet, très populaire en France, raconte, dans *La Dernière Leçon*,[13] l'histoire de sa mère nonagénaire qui refuse la « déglingue » et la dépendance et amène ses enfants, sa fille écrivaine plus particulièrement, à l'accompagner dans son choix de se donner la mort. L'auteure se dira « apprentie à l'école de la mort » et parlera sans cesse de « faire ses classes »...

On pourrait croire que « la leçon » réside dans l'affirmation de la liberté des aînés à décider, pour eux-mêmes, du quand et du comment de leur mort. On pourrait croire qu'elle réside dans la requête du respect et du support de cette décision par les tiers. Il y a de cela, bien sûr. Et je n'ai pas envie de m'étendre sur l'aspect moral de ces questions. Je ne juge pas le suicide des vieux pas plus que je ne juge celui des jeunes. Je regrette seulement que des êtres vivants soient acculés à ce geste... Je n'ai pas jugé le suicide de Myrka. J'ai eu de la peine, c'est tout... Cette grand-mère de quatre-vingt-douze ans aurait sans conteste préféré une euthanasie douce, entourée et digne, à un suicide pénible, isolé et froid. Et je ne crois pas, pour tout vous dire, que Dieu fasse une différence entre mort naturelle, suicide ou euthanasie. À moins que la différence ne réside dans la culpabilité de ceux qui restent...

---

13   Châtelet, Noëlle, **La Dernière Leçon**, Paris, Seuil, 2004, 180 p.

Pour ma part, ce qui m'intéresse dans ce drame, c'est son aspect humain. J'ai été touchée par la détermination et la fierté de cette vieille dame rebelle qui exerce son libre arbitre jusqu'à l'ultime limite de sa vie. Mais j'ai davantage encore été touchée par le désarroi de sa fille romancière. Car, la première leçon de ce livre en est une de détachement. Ce que ce livre raconte, du début à la fin, si magnifiquement, est une histoire d'amour on ne peut plus symbiotique entre une fille et sa mère. Il raconte surtout comment la mère accompagne la fille dans la longue et difficile acceptation de la rupture du cordon. Je ne croyais pas possible qu'on puisse vivre une telle relation mère-fille. Surtout pas passé la cinquantaine. « […] mon amour était idolâtre et obsessionnelle ma crainte de te perdre. »[14] Je ne croyais pas non plus possible qu'on puisse afficher un tel amour et en être aussi fière. « Nous serons toujours une, plus jamais deux, enfin dans la fusion sans défusion […] »[15] Dans notre culture nord-américaine de la libération, la symbiose, sous toutes ses formes, nous a été présentée comme tellement névrotique que j'en ai toujours eu peur.

Pourtant, ce récit m'a rappelé que quand j'étais toute petite, peu d'années après le décès de ma grand-mère, je terminais toutes mes prières du soir par une formule, toujours la même : « Mon Dieu, faites que maman ne meure pas cette nuit et, si elle meurt, faites que je meure avec elle !… » Je ne m'imaginais pas alors pouvoir vivre sans ma mère. J'ai cessé évidemment assez tôt de faire cette prière. En grandissant, on devient « raisonnable ». Mais, aujourd'hui, je ne puis m'empêcher de me sentir très près de cette auteure orpheline qui, comme moi, a fait le choix de l'écriture pour panser ses deuils et ses peines.

Je ne puis m'empêcher non plus de l'envier d'avoir eu la chance, elle, de faire ses adieux, de dire et de redire à sa mère qu'elle l'aimait et d'amorcer ainsi son processus de deuil. Je n'ai pas eu cette chance avec la mienne, non plus qu'avec ma grand-mère, mes frères ou Myrka. Je me suis reprise quelque peu avec ma grande, mais si peu, si tard. J'ai compris, une fois de plus, en lisant ce livre, que la mort est surtout dramatique pour ceux qui restent.

---

14   Ibid., p. 48.
15   Ibid., p. 69.

V

Quand on a mal à en mourir

Ma période « terroir » fut riche en deuils et en tribulations mais aussi en création poétique. L'écriture me servait alors à toutes les fins. À m'intérioriser et à m'extérioriser, c'est-à-dire à me connaître et à me livrer. À expulser le trop-plein d'émotions et à affirmer mes choix sociaux, politiques et spirituels. Mais surtout, peut-être, à régler mes comptes avec la vie. Mon mal de vivre s'accentuait. J'avais de plus en plus de difficulté à gérer la montagne d'informations que je tirais de ma thérapie. Quelques séances houleuses m'avaient permis de découvrir un lourd contentieux karmique avec ma mère. Je le prenais très mal.

C'était aussi l'époque du surmenage physique, du stress professionnel, de l'obligation de performance au Collège, des luttes syndicales... Et, fatalement, de la multiplication des bobos. Le zona s'était ajouté à la polynévrite diabétique et avait fait des ravages dans mon système nerveux. L'arthrite s'aggravait. Un mal étrange, auquel les médecins ne comprenaient rien, se répandait dans mes muscles et dans tout mon corps. On n'avait pas encore donné à ce mal l'étiquette de fibromyalgie. Je souffrais de la tête aux pieds et j'étais révoltée *mur à mur*. Un soir, où je sentais la douleur m'envahir, sournoise et décapante, je me suis lancée sur mon stylo pour tenter de stopper le mal. Un poème est alors monté comme un long cri de désespoir et de rage mais, surtout, comme un repoussoir à la maladie.

Il est minuit et...
ma p'tite vache a mal aux pattes

Il est minuit dans mon corps
On frappe, c'est son heure...
C'est toi douleur ?
Tu sors ou tu rentres à cette heure ?
Dis-le moi, j'aurais bien aimé dormir un peu
    ce soir

Où vas-tu loger, ce soir, douleur ?
À la cuisse comme la semaine dernière
    ou à la nuque comme la semaine d'avant ?
Faites vos jeux !
La mâchoire, c'était hier...
À l'avant-bras ? À la main ? Au doigt ? À l'ongle ? Alouette...
    Ou à l'épaule droite comme de coutume ?
Comme le voulait l'habitude
    avant que ça se mette à tourner
    à virer fou là-d'dans
    d'un membre à l'autre
    d'un muscle à l'autre
    d'une phalange à l'autre
    d'une peau à l'autre
Comme une ronde infernale
    un orchestre à percussion, dans mon corps
un tam-tam amérindien
    qui se répond de village en village, dans mon corps
un tonnerre
    qui se fracasse de montagne en montagne
ou un canon qui canonne
    jusqu'à épuisement du son
    jusqu'à épuisement du corps, dans mon corps
    jusqu'à épuisement de l'âme
    dans l'âme
    de mon corps sans âme !

Qu'as-tu à me dire ce soir, douleur ?
Que veux-tu que je fasse ?
>   *Que je me tue*
>   *ou que je tue ma mère ?*
Elle est déjà morte, je l'ai tuée cent fois déjà
>   *N'est-ce pas, maman ?*
Et moi aussi d'ailleurs
>   *je suis morte tant de fois*
>   *inutilement*
Cette fois c'est la dernière
Trouve une meilleure raison, douleur
>   *à ma douleur...*

Qu'as-tu à me dire de plus, ce soir, douleur ?
>   *Que tu n'es même pas vraie ?*
>   *Que tu n'es vraie que dans ma tête ?*
-Tout l'monde le dit et si tout l'monde le dit tout l'monde le sait-
>   *Que je te crée de toutes pièces*
>   *comme je crée, de toutes pièces, toute réalité ?*
Et là, ce sont les anges qui le disent
>   *et si les anges le disent... hein, maman ?*

Semblerait...
>   *que je sois en mal de création*
>   *et que, ne créant rien qui vaille*
>   *ni empire, ni château, ni rejeton*
>   *ni roman, ni poème, ni chanson*
Semblerait que toi, douleur...
>   *tu prennes la place, la relève*
>   *et que tu te crées...*
>>   *par défaut*
>>   *par substitution*
>>   *par succédané*
>>   *par ersatz*
>>   *c'est selon le degré d'érudition...*
Moi, j'aime bien ersatz
ça me fait penser à du sel de mer
>   *la* mɛʀ *que Trenet fait danser*
>   *et que moi j'assassine mollement*
>   *sans plus même y penser...*

Viendrais-tu ce soir, douleur
  me dire de créer, d'écrire peut-être ?
Eh bien, si c'est là le secret de la santé, créons
  passons-y la nuit, délirons !
Tu permets, maman, que j'essaie ?

  Je crée...
  Tu cries...
    Elle crisse sa vie en l'air et donne son cul à la police
Je deviens vulgaire, pardon maman !
  Je déconne...
  j'ânonne...
  j'abandonne mon corps aux poissons
  J'SUIS UN NOYÉ ASSASSINÉ [...]
Non, pas encore !
  Les poissons rou...ges de mon a...quarium... sont...
      de tou...tes les... couleurs
  De ttou...ttes les ccouleurs, je pré...ffère le blleu... cciel
  Bbbllleu... est le ccciel... qui m'a... vvvue naître...
Naître patate par un jour noir de peur.   MERRRDE !!!
Naître... ou crever ?   That's the question
  J'SUIS UN NOYÉ / ASSASSINÉ /
  PAR UN GARS QU'EN / VOULAIT À MON / PORTE-MONNAIE
  Tandis que les chiures de mouches
  SE RAMASSENT À LA PELLE
  et que... MA P'TITE VACHE A MAL AUX PATTES
Merde à la poésie !   Vive le délire !
Ma poésie est malade, maman, comme moi
  elle coque-à-l'âne
  TIRONS-LA / PAR LA QUEUE / ELLE DEVIEN / DRA MIEUX
Les comptines de mon enfance...
  qui en veut ?
Qui veut acheter mon enfance ?
  Un coup, deux coups, trois viols, MARLEAU *!*
  COMMENT VEUX-TU, MON MERLE, MON MERLE
  COMMENT VEUX-TU MON MERLE VOLER *?*
Oui, maman, voler avec les anges
  qui s'accrochent à mes ciels de rêve
  parfois la nuit, entre deux cauchemars...

CRÉER ! L'antidote ! À moins que ce ne soit le placebo...

Baudelaire n'a pas attendu le Nouvel âge, lui
    S<small>OIS SAGE</small>, <small>Ô MA</small> D<small>OULEUR</small>, <small>ET TIENS-TOI PLUS TRANQUILLE</small> *!*
Baudelaire avait mal lui aussi
Mais lui, c'était un vrai poète, avec une vraie douleur
    et qui faisait de vrais poèmes...

    Ô <small>TEMPS SUSPENDS TON VOL</small> *!*
    (fais ça vite, la nuit achève)
Plongerais bien dans votre lac, Monsieur de Lamartine
Mais ne veux être accusée ni de pollution, ni de plagiat
    Déjà assez du cliché...
Ah ! Et puis merde à la poésie ! Revive le délire !
Un jour, je publierai mes délires, maman
    et ferai chier
    Lamartine, Baudelaire et le Père Hugo par-dessus le marché
    tous dans leur cage, achevant de sécher
D'ailleurs, depuis que j'sais
    que j'suis François Villon
(C'est mon p'tit doigt qui m'l'a dit. La réincarnation, connaissez ?)
    la Pléiade elle-même peut bien aller se rhabiller
    et les dadaïstes aussi...
Moi, je recrée, je refais le Testament
Je réécris la Ballade des pendus :
    F<small>RÈRES HUMAINS</small> *[...]* <small>PRIEZ</small> D<small>IEU</small>
    <small>QUE TOUS NOUS VEUILLE ABSOUDRE</small>
    L<small>A PLUIE NOUS A DÉBUÉS ET LAVÉS</small>
    E<small>T LE SOLEIL DESSÉCHÉS ET NOIRCIS</small>
    P<small>IES, CORBEAUX, NOUS ONT LES YEUX CAVÉS</small>
    E<small>T ARRACHÉ LA BARBE ET LES SOURCILS</small> *[...]*
    E<small>T NOUS, LES OS, DEVENONS CENDRE ET POUDRE</small> *[...]*
    P<small>LUS BECQUETÉS D'OISEAUX QUE DÉS À COUDRE</small> *[...]*

Mais, j'y pense...
    Tu l'savais toi, maman ? La souffrance...
    les os, la peau, la panse... C'est la potence ?
C'est ça, douleur, que t'avais à m'dire ?...

BONYEU, FRANÇOIS, DESCENDS DE D'LÀ !

Comme vous pouvez le constater, ma soeur aînée n'est pas la seule à être passée par la porte étroite de la douleur. Les auteurs de *Chronique d'un départ* nous révèlent autre chose sur la souffrance : « Lorsque la souffrance apparaît dans le physique c'est qu'elle a été semée au préalable dans les mondes subtils. »[16] Dans mon cas, il semble qu'elle ait été semée dans un subtil très ancien et qu'elle soit pour beaucoup d'origine karmique. « D'âge en âge, nous nous sommes endurcis derrière une telle couche de carapaces que la Vie n'a pu trouver d'autres moyens que la souffrance pour nous convaincre de nous dépouiller de ce qui n'est pas nous. »[17] Enlever des carapaces, tenter d'identifier et d'alléger le souvenir, voilà ce que je tentais de faire par l'analyse et l'écriture.

Je n'ai évidemment pas été le Villon de l'histoire, même si ma fascination pour le personnage me l'a longtemps laissé croire. Je me suis laissé dire par mon ami Ghislain que j'avais plutôt été un compagnon très proche de Villon. Écrivain comme lui, mais éclipsé par lui. Un compagnon d'aventure surtout. Mauvais garçon, comme lui, et qui aurait partagé son destin de pendu. Ce qui m'apparaît évident, c'est que lui et moi étions des frères d'âmes et que nous avions le même mal à l'âme... « La souffrance, nous dit encore *Chronique d'un départ*, est le signal d'alarme que déclenche notre corps lorsque celui-ci se trouve par trop coupé de son essence. »[18] Qu'était donc mon essence devenue ?...

Le dernier vers du poème détenait, semble-t-il, la clé du poème et... du problème. Mais comment descendre de la potence des vies et des vies plus tard ?... Comment effacer les mémoires cellulaires tenaces qui empoisonnaient mon âme et mon corps depuis des siècles ? Comment me libérer de mes fantômes intérieurs pour retrouver mon essence ? Mon poème me donnait le remède mais pas le mode d'emploi... L'écriture a cependant bien joué son rôle d'antidote cette nuit-là. Sans que j'en sois vraiment consciente, la douleur est repartie et j'ai pu dormir un peu.

---

16   Meurois-Givaudan, Anne et Daniel, **Chronique d'un départ**, op. cit., p. 120.
17   Ibid., p. 121.
18   Ibid., p. 120.

Cette nuit-là me rappelle une autre nuit, peu de temps après, et un autre poème antidote. Un antidote à la peur de mourir, cette fois. Cette nuit-là, je sentais la mort rôder autour de moi. Il me semblait qu'on ne pouvait pas souffrir autant sans mourir. À la fois, je craignais la mort et à la fois, elle m'attirait. Je me disais : « Et si elle était une solution à mes problèmes ? » À bout de force et à bout de nerfs, je décidai de la provoquer, de la confronter.

Me vint alors ce poème, que je n'attendais pas moi-même...

FACE-À-FACE AVEC... ELLE

ELLE... était là, tout près

On s'attendait, ELLE et moi, ce soir-là

Depuis toujours, je savais qu'elle viendrait, comme une voleuse, comme une salope de voleuse qu'elle était, comme une tueuse, comme une salope de tueuse qu'elle était, à gages, à l'embauche du Grand Manitou qu'elle était, comme une saloperie, de vacherie, de connerie qu'elle s'entêtait à être et à rester pour la vie, pour toutes les vies, pour la vie que je vivais et celles que j'avais dans la peau (quelque quarante millions d'années et quelques galaxies, ça en fait des vies), pour les vies que je vivrais et celles que j'observerais d'en haut, chez les autres. Elles finissaient toutes de la même façon, de toute façon, sauf, peut-être, pour quelques mutants à la con...

Ce soir-là, elle était là, tout près, qui rôdait
Mais moi, je l'attendais

ET SI LA MORT N'ÉTAIT PAS LA MORT...

Ah non ! Pas aujourd'hui, pas cette nuit !

Pas de consolation rose bonbon. Pas de baume sur ma plaie. Pas de « Fais dodo, t'auras du lo-lo ». Pas de poème placebo, pas de chanson, pas d'Ativan. Pas de cataplasme sur ma jambe de bois...

Cette nuit, j'ai trop mal, qu'on la laisse venir !
Cette nuit, je veux la regarder en face
Cette nuit, je veux un FACE-À-FACE AVEC... ELLE

-   **Approche-toi Carabosse et réponds !**

-   **Je suis là, quelle est la question ?**

-   **Qu'est-ce que t'attends ?**

-   **Comment ça, qu'est-ce que j'attends ?**

-   **Qu'est-ce que t'attends pour me prendre, hein ? Pour me baiser, pour me buter et m'emporter ? Qu'est-ce que t'attends pour me bouffer, charognarde, pour me gruger jusqu'à la moelle du fémur de l'âme ? Pour me sucer la vie et le sang à bout portant ? Qu'est-ce que t'attends pour me faucher le désir et l'espoir, à ras de terre, à ras de coeur ? Pour m'arracher à mes contes de fées, à mes Histoires d'O, à mes mots ? Qu'est-ce que t'attends pour me culbuter, pour me balancer au bout d'un Requiem, (comme dans la chanson de mon amie Francine) ? Qu'est-ce que t'attends pour me propulser là-haut, ou là-bas, tout en bas, tête en bas, quelques centimètres seulement en deçà du néant ? Qu'est-ce que t'attends, dis ? Réponds !**

-   **Moi, mais je t'attends, je n'attends que toi...**

-   **Et si ce soir, je te disais oui, prends-moi ! Prends-moi maintenant, prends-moi cette nuit ! Cette nuit, j'en ai assez. Cette nuit, je n'en peux plus. Cette nuit, je n'en veux plus. Y a plus d'ersatz qui tienne, plus de poésie, cette nuit. Plus de hurlements, plus de mots, plus de vie, cette nuit. Prends-moi ! Cette nuit ou jamais ! C'est à prendre ou à laisser... Qu'est-ce que t'attends ?**

-   **Moi, mais j'ai tout mon temps. Calme-toi !**

-   **Mais à quoi te sert de dormir dans mon lit, toute la nuit, si tu ne veux pas baiser ? Qu'est-ce que t'attends ?**

-   **Je te répète que je t'attends.**

-   **Pourquoi est-ce que tu m'attends ?**

-   **Parce que... bientôt ce sera le temps.**

-   **Quand ?**

-   *Dans dix, vingt ou trente ans. Il n'est jamais trop tôt pour...*

-   *Et qu'est-ce que tu fais en m'attendant ?*

-   *Oh, moi je m'amuse.*

-   *Toi aussi ! Et tu fais des culbutes, je suppose, en m'attendant, comme le bonheur ?*

-   *Non, avec le bonheur.*

-   *Quoi ! T'es d'combine avec le bonheur, toi ?*

-   *Hum, hum ! Moi, tu vois, je suis une marchande de bonheur.*

-   *Toi ?...*

-   *Mais oui. Le plus clair de mon temps, je le passe à effacer le temps, à fabriquer des rêves. De jolis rêves en coton ouaté. J'en ai une pleine caisse pour toi, tu choisiras. Des rêves d'au-delà, des rêves d'éternité, des rêves de vies à venir ou de vies passées, sur Vénus, en Lémurie ou ailleurs. Ou à Saint-Louis... Des rêves d'Arche d'alliance ou de vaisseau-soleil, des rêves-chérubins, des rêves-archanges, des rêves-Dieu, des rêves-homme, Homme-Dieu...*

-   *Je peux choisir tout ça ?*

-   *Oui et bien d'autres rêves encore. Je te le dis, je suis la gardienne du rêve.*

-   *C'est comme la marchande du bonheur ?*

-   *C'est la même chose. Je suis la clé, je suis la porte, je suis le rêve. Pas Dracula, pas le néant !*

-   *Et, quand le rêve devient cauchemar ?*

- *C'est que tu t'accroches à la coquille, petite fille. Libère l'oeuf dedans. Décroche un peu, voir. Laisse porter, laisse aller, laisse couler, laisse flotter, laisse voler. Laisse ton corps se fondre aux nuages, à la pluie, à la terre. Laisse ton âme épouser le vent. Laisse-toi éclore comète, étoile ou constellation. Comme ce mutant « à la con » que tu connais si bien...*

- *Et quand le vent devient ouragan dedans ? Et quand la lumière devient incendiaire ? Et quand tout devient séisme et apocalypse et détresse au coeur ?*

- *C'est que tu résistes, petite soeur. C'est que tu as peur... Abandonne. STOP THE WAR ! Abandonne. Laisse entrer la paix. Laisse entrer la vie. Je suis là. J'ai tout le temps. Je t'attends... par la main. Laisse entrer le rêve et dors maintenant, avec ton enfant dedans...*

Et... ELLE
repartit ce soir-là.
Le bonheur n'était pas loin, peut-être se sont-ils rejoints...
Et je m'endormis tout doucement
et tout devint flocon...

Et je fis le rêve d'une petite fille de trois ans, extraordinairement vivante, qui dansait, qui sautait, qui cueillait de la poussière d'étoiles pour en faire des châteaux de sable

et qui...

regardait en riant passer le temps
dix, vingt, trente ou... cent ans
dix, vingt, trente ou... mille ans...

Cette nuit-là, j'ai vécu, je crois, une initiation. Ce poème m'a permis d'aller au bout de quelque chose. Au bout de ma panique, sûrement. Je savais désormais que j'avais le temps, que j'avais du temps. Je savais que j'avais le choix. Je savais que j'avais quelque chose à faire sur la terre. Pour les autres et pour moi. Un message d'espoir à donner et... à vivre peut-être. Je savais aussi que, quand on s'en approchait de très près et qu'on acceptait la fusion avec elle, la mort n'était pas si terrible. Il me semble que j'ai eu beaucoup moins peur et beaucoup moins mal après cette nuit-là. Et que je n'ai plus jamais eu de tentation suicidaire...

Aujourd'hui, avec le recul, je constate que ce poème a marqué un changement fort important dans ma relation avec la mort. Il m'a permis d'*arrêter la guerre*. En le relisant, j'ai envie de remercier l'énergie de Stephen Levine qui a soufflé sur moi lors de cette expérience initiatique. De plus, j'observe que ce poème contient déjà, dans sa deuxième partie, le conte dédié à ma soeur, qu'il est l'ancêtre de *Quand Dame la mort se refait une beauté*, beaucoup plus récent. Il porte la même vision, la même énergie. Est-ce à dire que je n'ai plus aucune crainte face à la mort ? Je ne sais pas. Je ne crois pas. Je peux dire cependant que quand j'ai des angoisses la nuit, quand j'ai mal et que je ne dors pas, (ça m'arrive encore quoique en beaucoup moins violent), j'appelle la marchande de rêves et lui demande de me prendre dans ses bras et de me bercer. Ça marche à tout coup. Je tombe alors dans un doux sommeil rempli de rêves d'enfants...

Je ne crois pas être uniquement dans le monde de la poésie et de l'allégorie quand je personnifie la mort et que je me blottis dans ses bras. Je suis dans le monde et dans le mystère du Subtil. La mort est une énergie. Elle appartient au cycle de la vie depuis que nous sommes sur terre. Avant la séparation d'avec Dieu, avant notre descente dans la matière, elle n'était pas nécessaire. Nos corps, beaucoup plus subtils, n'avaient pas à mourir pour évoluer. Aujourd'hui, la mort est devenue une condition de changement. Elle est loin d'être une énergie négative, cependant. Elle participe, comme dit Ghislain, de la respiration de la terre. Elle en représente manifestement l'expiration qui prépare le nouvel *inspir*, c'est-à-dire la vie. C'est une énergie yin qui appelle l'abandon, le repos, la métamorphose, la renaissance. C'est l'énergie féminine, voire maternelle, qui me berce quand je l'appelle et qui me pacifie. C'est dans ses bras que je me blottirai quand le temps viendra. Et c'est dans ses bras que je vous propose de vous blottir lorsque vous aurez peur. Peur de mourir ou... peur de vivre. C'est la même chose, vous savez, je puis en témoigner.

Chapitre 6

VI

Et quand on s'occupe du bonheur des autres

La maladie n'a jamais occupé toute la place dans ma vie. Je ne l'ai pas laissé faire. Je suis une battante. Je me suis battue pour survivre, battue pour guérir, battue pour être heureuse. Je me suis aussi battue, à ma manière, et souvent à la manière du poète créateur, pour le bonheur des autres.

Dans ma quête du bonheur, parallèlement à mon besoin de lucidité, j'ai toujours pensé que le partage, le don gratuit et l'engagement étaient des conditions sine qua non. Je savais que jamais je ne serais heureuse seule, dans mon coin, à me regarder le nombril. Après avoir, enfant, appris de ma mère le service et le sacrifice, après avoir donné une grande partie de mon temps aux comités étudiants des maisons d'éducation que j'ai fréquentées, après la ferveur missionnaire de mes années d'enseignement au Yukon et à la Baie James, j'ai épousé, à la suite de mes études universitaires et pendant ma carrière de prof de cégep, les grandes causes sociopolitiques du Québec. La cause de l'indépendance, bien sûr, mais surtout celle des femmes. Je n'ai jamais été une féministe enragée pas plus qu'une militante dans la rue, mais j'ai toujours cru au pouvoir de la solidarité et de la complicité féminines. Aujourd'hui encore, et de plus en plus, je crois que le salut du monde viendra de la conscientisation et de l'autoresponsabilisation des femmes.

Un jour, il y a plus de vingt ans maintenant, une amie poète m'est arrivée à la ferme avec un très beau texte. Un poème sur la solitude des femmes, un poème très court, dépouillé, beau, désespéré. En le lisant et le relisant, j'ai pris conscience qu'il n'y avait que quelques mots à changer pour en faire un poème de solidarité et d'espoir. Quand je me suis risquée à avancer que l'écriture pouvait changer la réalité et qu'il ne s'agissait peut-être que de la dire autrement (Anne aurait été fière de moi), ma vieille *chum* m'a dit : « Tu as raison… Je te donne mon poème. Fais-en ce que tu veux ! »

Mon amie Pia, ma sœur d'âme, c'est à toi, aujourd'hui, que je veux dédier ce poème. Qu'il rassemble les femmes de la terre et qu'il nous garde complices, toi et moi, même dans la distance, même dans l'absence…

Seules, Ensemble ...

Une femme s'en va
Seule
Et toutes les femmes seules
ensemble s'en vont

Seules
mais ensemble
Seules
mais côte à côte
Seules
mais l'une à côté de l'autre
Seules
mais seules ensemble
Toutes seules
toutes ensembleS

Comme de grands arbres
Comme de grandes rivières
Comme chaque chose

Comme chaque femmeS

SEULE, ENSEMBLES ...

Ce poème, vous l'aurez constaté, est bien différent d'un appel à une action politique. Il en appelle à l'égrégore féminin. Comme beaucoup de femmes, j'ai un jour cru que le salut du monde viendrait de la prise du pouvoir politique par les femmes. Je sais aujourd'hui qu'il viendra d'un effet de résonance, par le travail quasi souterrain de l'énergie féminine, c'est-à-dire par l'énergie yin et son pouvoir d'intériorisation, de transmutation et de création. C'est cette énergie qui unifiera les femmes, qui leur permettra de démultiplier leur pouvoir et de mettre au monde un monde nouveau. Et cette énergie, même les hommes la possèdent quelque part dans un coin de leur cerveau ou de leur coeur. Libre à eux de libérer leur pouvoir yin... Beaucoup le font d'ailleurs et c'est heureux, car les hommes aussi sont appelés à changer et à changer le monde...

J'ai longuement parlé, dans mon premier ouvrage[19], de l'importance de l'énergie yin pour la suite du monde. À l'époque du maître Jésus, Marie-Madeleine incarnait en quelque sorte cette énergie, en était la dépositaire. Il m'apparaît tellement important de vous faire saisir le sens de la révolution féminine, à la fois tributaire et à la fois si différente de la révolution féministe, que je vous réfère à la Lettre XIX de mon premier livre, lettre qui tire elle-même son inspiration et son essence de *Visions esséniennes* de Daniel Meurois-Givaudan[20]. Il est une révolution à laquelle on ne peut se soustraire et c'est la révolution intérieure...

Mais la révolution, quelle qu'elle soit, est un lent travail d'ensemencement et de recommencement. Elle marche par *à-coups*, comme dirait ma mère. Elle n'est jamais gagnée. Quelques années après *Seules ensemble*, est survenu, à Montréal en 1989, le drame de Polytechnique. J'ai été assommée.

J'ai été sous le choc, mais je ne suis pas tombée dans un fatalisme désespéré. Mes lectures et ma recherche intérieure m'avaient amenée à comprendre qu'il n'y a pas de hasard, non plus que de coupables, que tout est coïncidence autorisée. À comprendre aussi que *non coupable* ne veut pas dire *non responsable*. À comprendre que tout est dans tout, que nous ne formons qu'un et que nous sommes par

---

19   Marie-Lue, **Lettres ouvertes à mon gourou.** Pour en finir avec ma secte..., Québec, Louise Courteau Éditrice, 2004, 205 p.

20   Meurois-Givaudan, Daniel, **Visions esséniennes**, France, Amrita, 1996, 192 p.

conséquent tous et chacun créateurs du sort du monde et de notre propre sort. Je n'ai donc pas eu envie de m'associer à la lecture féministe de ce drame, pas eu envie de lui faire servir la Cause. J'ai seulement eu envie de pleurer et de demander pardon à l'Univers, au grand Tout.

Visa le noir, tua le blanc...

Quatorze, elles étaient quatorze
quatorze femmes
quatorze filles
quatorze enfants

Cent, elles sont cent
elles sont mille
elles sont cent mille, quatorze cent mille...

Arrêtez le massacre, je ne veux pas qu'on me les tue !

Noires, jaunes, blanches
soeurs, amies, enfants
Elles sont mon ventre, elles sont ma vie, elles sont mon sang
Elles sont à moi, elles sont de moi
elles sont moi tout simplement !

Visa le noir, tua le blanc...

Et lui, combien était-il, qui était-il ?
Cent, mille, cent mille ?
noir, jaune, blanc ?
Fils de misère, fils de violence ou d'abandon ?

Arrêtez le massacre, je ne veux pas qu'on me le tue !

Il est à moi, il est de moi
Il est mon ventre, ma vie, mon sang
il est moi tout simplement !

Visa le noir, tua le blanc... et le noir... tout en même temps

Ce jour-là, je suis morte, j'ai été abattue froidement
Ce jour-là, c'est moi qui ai tué en hurlant.

Aujourd'hui je n'ai qu'un cri :
Pardon, LA VIE, tout simplement !

Peu de temps après le drame, la réflexion et l'écriture sur le drame, j'ai cherché à faire paraître ce poème dans les médias pour susciter un questionnement, une compréhension plus profonde. Je l'ai envoyé à quelques journaux et revues qui ne l'ont pas publié. Je l'ai également fait parvenir à Jacques Languirand, l'immortel animateur de *Par quatre chemins* à Radio-Canada, de même qu'à Françoise David, alors présidente de la Fédération des Femmes du Québec. Ni l'un ni l'autre ne m'a répondu. J'ai compris alors que le monde n'était pas encore ouvert à une telle lecture des faits. La dénonciation et le ressentiment yang sont tellement plus faciles que la responsabilisation yin...

Mais ce n'est pas parce que la révolution est lente qu'il ne faut pas persévérer. Ce n'est pas parce que la réalité est triste qu'il ne faut pas rêver, semer par le rêve. Car la révolution, quelle qu'elle soit, il faut la visualiser d'abord, l'imaginer, c'est-à-dire l'inscrire dans l'énergie de la terre, en faire un immense égrégore, un immense nuage qui contamine l'inconscient collectif. Il faut l'écrire « pour la faire arriver », dirait ma petite Anne.

Dix ans plus tard, à la veille de l'an 2000, j'ai joué, comme tout le monde, le jeu du calendrier grégorien. J'ai fait semblant de croire que le monde entrait dans son troisième millénaire. J'ai joué le jeu dans le but unique de programmer l'avenir de l'homme, de modifier la suite du monde. J'ai écrit un poème qui donne la parole au millénaire naissant.

Le rêve de l'An 2000

Moi, je suis l'An 2000 et je rêve !
Moi, je rêve... dans mon cocon
Bien sûr, quand j'entends au loin se raconter mon père
ou mon grand-père
les vieux millénaires
ce sont des cauchemars que je fais
Alors, moi, je fais dans ma culotte, moi, j'ai peur !
Je ne voudrais pas mourir dans l'oeuf...

Mais ça, c'était hier
Et moi, dans mon cocon, je rêve de demain...
Moi, je rêve d'hommes qui se donnent la main
et font une grande ronde autour de la terre
Moi, je rêve d'hommes et de femmes
qui font l'amour dans les chaumières, pas la guerre...
Moi, je rêve de terriens amoureux qui font l'amour à la terre
à l'eau, à l'air, à la forêt, aux oiseaux, aux lutins leurs frères
et d'humains conscients qui disent non à la barbarie
à la tromperie, à la misère...
Moi, je rêve d'enfants qui gambadent dans les champs
le ventre plein, l'âme légère
qui courent après des ballons ou... des bulles de savon
qui cueillent des étoiles, inventent des jeux de magiciens fripons
et rêvent... des rêves d'enfants...
Moi, je rêve d'adolescents, d'adultes, de sages, petits et grands
de riches, de pauvres, de noirs, de jaunes, de rouges, de blancs
capables d'aller voir dedans
dans leur coeur, dans leur cocon
voir s'ils ne trouveraient pas un enfant
Un enfant qui rêve, un enfant-dieu, un enfant tout-puissant
Un Dieu enfant qui inventerait la vie... autrement...

Moi, je suis l'An 2000
et je rêve...

Moi, je veux vivre !

J'entretenais, me direz-vous, un rêve impossible, une illusion. Peut-être. Les jeux de pouvoir, la politique internationale, le terrorisme et la guerre allaient bientôt me ramener sur terre, me défoncer l'espoir, me couper le rêve à la racine du coeur. Les poètes sont vulnérables. Il leur arrive de vouloir se taire.

Puis, vint le ONZE SEPTEMBRE...

Écrire...

Est-ce que je suis encore capable d'écrire ?...
J'aimerais mieux dormir, je crois
Jusqu'à la nuit des temps
Jusqu'au néant, peut-être...

J'aimerais mieux fuir, m'enfuir
M'enfouir... dans ma tour à moi
Le Me-Myself-and-I Center
Et oublier !
Et m'anesthésier !
Me liquéfier, peut-être...

J'aimerais mieux retourner là d'où je viens
Au pays des mots, au pays des fées, au pays des fous
Et n'avoir jamais connu le monde civilisé, peut-être...

Le propre du poète est de renaître de ses cendres, de retrouver la foi et de réensemencer sans cesse et sans cesse. Il s'est passé quelque temps, je l'avoue, entre la première et la deuxième partie de ce poème.

Mais... quel est ce son que j'entends
cette musique, ce chant ?
Est-ce un cri ?
Est-ce une complainte ?
Est-ce une berceuse ?...
Et quel est ce soleil qui me réchauffe les os ?
Et quels sont ces bébés chats qui me lèchent les doigts ?
Et quelles sont ces couleurs qui éclatent tout autour ?
Et quelles sont ces mains tendues
qui appellent sur terre la paix
et la grâce du pardon ?

Est-ce l'espoir ?
Est-ce la vie ?

Qui sait ?...

Le bonheur est-il encore possible en ce monde ? Après le ONZE SEPTEMBRE et le déclenchement insensé de guerres répressives en Afghanistan et en Irak, je ne savais plus. Mais j'ai continué de rêver. Aujourd'hui, je rêve encore et je garde espoir. Je crois finalement que, malgré mes peurs et mes doutes, je suis une éternelle optimiste... Mais je me dis que si nous étions plus nombreux à rêver... À rêver une terre propre, une terre de liberté, de paix et de partage. Si nous étions plus nombreux à rêver le rêve de Gandhi, de Martin Luther King, de Mère Teresa, de Lucille Teasdale, de l'abbé Pierre. Le rêve de Jésus et celui de tant d'autres. Si nous étions plus nombreux à rêver une terre d'hommes *humains*, c'est-à-dire une terre d'hommes responsables, peut-être atteindrions-nous la masse critique nécessaire au changement. Peut-être, alors, ferions-nous une vraie place au bonheur...

Je ne suis pas la seule à croire que nous ne formons qu'un et que seule l'acceptation de notre responsabilité créatrice peut nous rendre plus humains. Les chercheurs spirituels nous livrent tous le même message. J'ai déjà longuement cité la Marie-Madeleine de *Visions esséniennes* dans mes *Lettres ouvertes* en 2004.[21] J'aimerais aujourd'hui citer Gitta Mallasz, la « scribe » de *Dialogues avec l'Ange*[22], l'oeuvre sacrée livrée pendant la Deuxième guerre mondiale, mais publiée seulement en 1976, et qui a ébranlé le monde. En 1991, un an avant sa mort, dans une entrevue qu'elle a accordée à Patrice Van Eersel, Gitta Mallasz reprend les propos des *Dialogues* sur le rôle créateur de l'homme et elle va plus loin encore. Juste après le déclenchement de la première guerre du Golfe, elle témoigne de la guerre en ces termes :

> « [...] la guerre ne se décide pas sur le champ de bataille,
> ni même dans les réunions des plus hauts dirigeants. La
> guerre n'est que la conséquence inévitable d'un autre
> champ de bataille, invisible à l'oeil de l'homme. »[23]

---

21 Voici un extrait de ses propos : « Maintenant, nous sommes tous responsables, plus responsables que jamais de ce qui se passera en ce monde. Jamais plus nous ne devrions pouvoir dire " Je n'y suis pour rien ". Je vois bien que nous sommes tous pour quelque chose dans tout, dans ce qui se crée comme dans ce qui se décrée. [...] C'est ainsi que nous sommes les auteurs du bonheur et du malheur, de notre libération ou de notre incarcération. » (Meurois-Givaudan, Daniel, **Visions Esséniennes**, p. 180 : voir Marie-Lue, **Lettres ouvertes à mon gourou**, p. 169.)

22 Mallasz, Gitta, **Dialogues avec l'Ange**, France, Aubier, 1976, 396 p.

23 Van Eersel, Patrice, **Le cinquième rêve**, Paris, Le livre de poche, 1995, voir Épilogue, p. 435.

Elle évoque, là, la force de l'égrégore[24], la force créatrice des formes-pensées et leur résonance, c'est-à-dire leur agglutinement pour former une semence subtile de guerre… ou de paix. Elle poursuit et je me permets de vous livrer la citation au complet :

> « Il faut savoir que chaque sourire humain mine les projets de guerre. Que chaque pensée constructive diminue l'impact des forces destructives. Que chaque désir de paix atténue le feu des combats. Mais aussi que chaque émotion négative ouvre au contraire la porte à la destruction. Nous qui vivons aujourd'hui, nous n'assistons certainement pas par hasard à toutes ces guerres: chacun de nous est le guerrier responsable de la grande balance historique. Nous ne sommes pas les victimes impuissantes des événements extérieurs, mais peut-être bien au contraire la goutte décisive, qui peut faire pencher la balance vers la vie… ou vers l'anéantissement. »[25]

Et c'est la conclusion de Gitta Mallasz qui me touche le plus profondément :

> « Porter consciemment cette responsabilité : c'est ça la dignité de l'homme. »[26]

La dignité n'est donc plus dans la seule lucidité. Non plus que dans la seule dénonciation. Les cyniques ont tort. Les bien-pensants aussi. Pour moi, qui suis sortie de mon ancienne vision réalistico-fataliste, les paroles de Mallasz sont un baume. Je n'avais pas encore lu *Dialogues avec l'Ange* en 1991 et *Le cinquième rêve* de Van Eersel n'est paru qu'en 1993. Mais je savais déjà, à l'intérieur de moi, que cette guerre du Golfe, que toutes les guerres étaient le produit du non-amour et des pensées guerrières de l'humanité. De mes pensées à moi par conséquent… Je savais aussi que la paix obéissait aux mêmes lois et que je la portais également en moi. J'avais même conçu, au début

---

24   Dans la littérature ésotérique, le mot *égrégore*, du grec *egregoros*, désigne un agrégat de forces invisibles, un champ d'énergie constitué de courants vitaux (émotionnels, mentaux, spirituels), produit par la psyché collective, et qui ensemence la matière. L'égrégore est à rapprocher de l'*effet papillon* lequel, appliqué aux sociétés humaines, réfère à notre pouvoir d'influer sur le monde.

25   Van Eersel, Patrice, **Le cinquième rêve**, op. cit., p. 435.

26   Idem.

de ce conflit, une prière-poème qui, à travers l'utilisation du *je*, reconnaissait la dualité de l'homme et sa responsabilité face à la guerre, mais qui affirmait également son pouvoir de paix et visait à le stimuler.

Prière pour la paix

Pardon Seigneur, pardon pour la guerre en moi,
pardon pour les rancoeurs, et les rancunes en mon cœur.
Et merci Seigneur, merci pour la paix parfois,
et la sérénité, et la joie, également en moi...

Pardon Seigneur, pardon pour l'intolérance en moi,
et les jugements, et les procès,
et les condamnations, et les exécutions.
Et merci Seigneur, merci pour les gestes d'accueil,
et d'amour, et de pardon,
si petits qu'ils soient...

Pardon Seigneur, pardon pour les omissions en moi,
pour les « je t'aime » que je ne dis pas,
et les gestes que je n'ose pas.
Mais, merci Seigneur pour les « je t'aime » que je dis,
les petits gestes que je pose,
et les rêves de lendemains solidaires...

Pardon Seigneur, pardon pour la tristesse en moi,
et la peur, et le noir,
et les malheurs que sans cesse je pleure.
Mais, merci Seigneur pour les moments de rire
et d'abandon,
et les petits bonheurs,
et l'émerveillement de l'enfant tout au fond...

Pardon Seigneur, pardon pour l'inconscience en moi,
les jeux de masques, les roueries de l'ego,
les quêtes d'illusions.
Mais, merci Seigneur pour les pas vers la Lumière,
les efforts de Vérité, et la quête de Toi...

Pardon Seigneur, pardon pour le Koweït et l'Iraq en moi,
pour le tyran sanguinaire et le terroriste froid.
Et pardon aussi pour l'impérialiste de bonne foi,
pour l'exterminateur aux mains propres.
Mais, merci Seigneur, merci pour le jardin d'Éden en moi,
et la branche d'olivier, et l'ambassadeur de paix,
et l'Enfant-Dieu,
et le petit Prince, et sa planète, et sa fleur, en mon cœur...

Pardon Seigneur pour la guerre en moi.
Et... merci pour la paix !

Je sais depuis toujours, je crois, que nous sommes tous responsables de tout ce qui se passe sur cette terre. Du meilleur et du pire... On me reproche parfois d'afficher ma dualité dans mes écrits et, en l'affichant, de l'entretenir peut-être. La dualité, je tiens à vous le rappeler, est le lot de l'homme depuis la séparation, depuis la blessure originelle. Je crois que la première chose à faire pour devenir adulte et pour changer le monde est d'identifier cette dualité, de la reconnaître afin de la désamorcer. De reconnaître que nous avons à voir avec la guerre, avec l'oppression, avec la misère. Et pas seulement parce que nous tolérons ces phénomènes, mais parce que nous les contenons en nous et que nous les semons. Par conséquent, dénoncer ne suffit pas. Il nous faut passer de la lucidité à la conscience. Il nous faut assumer. Et non à la manière de Sisyphe. Il faut assumer et non subir. Il faut changer. Il faut créer le neuf. Et pourquoi pas à la manière de Gitta Mallasz ? Pourquoi pas par la conscience au quotidien et les gestes qui vont avec ?

Je me dois de conclure en vous disant que oui, on peut s'aider à trouver le bonheur en travaillant au mieux-être et au bonheur de l'humanité. Que oui, on peut ainsi donner un sens à sa vie. Je ne crois pas cependant que, ce faisant, on arrive à surmonter totalement la peur de vivre et celle de mourir. Pour moi qui ai toujours eu l'âme missionnaire, je peux témoigner que ça ne se passe pas comme ça. Il y a un processus à engager. Il y a des conditions gagnantes à mettre en place. Il faut éviter que l'engagement ne devienne une fuite en avant, une échappatoire à ses problèmes, comme c'est le cas pour beaucoup d'entre nous. Il faut, à tout le moins et en même temps, s'occuper de soi, entrer en soi, se reconnaître et entreprendre sa révolution individuelle. C'est cette révolution que j'ai tenté de mettre en marche, il y a fort longtemps, et que je continue d'accomplir jour après jour. Force m'est de constater que c'est le travail de toute une vie, sinon de plusieurs vies, et que la patience est de mise. Après, je suppose que la mort fait moins peur, qu'elle devient plus facile.

VII

Bon voyage, ma grande !

Je ne peux pas croire que ça y est ! Je vous avais confié, au tout début de cette histoire, que ma soeur Solange, décédée, collait toujours à la terre. « Laissez-moi faire, répétait-elle, ne me poussez pas. Je ne suis pas prête à partir ! »

Eh bien, la situation vient de changer. La semaine dernière, j'ai été réveillée, toutes les nuits à la même heure, par une énergie, par une présence subtile qui ressemblait à la sienne. Notre amie Marise, la médium et guérisseuse dont j'ai déjà parlé, a connu le même phénomène. Manifestement, ma grande avait du nouveau à nous communiquer. Nous avons l'une et l'autre accepté le contact et avons appris qu'elle demandait à partir. Après bientôt huit mois, il m'a semblé que ça n'était pas trop tôt... « Je veux partir ! Je veux que vous me laissiez partir ! Je veux que vous m'aidiez à partir ! » furent les premières paroles que j'ai pu capter par écriture spontanée.

Je savais depuis quelque temps déjà, par mon ami voyant, que ma soeur n'arrivait pas à quitter la terre parce qu'elle y était retenue, parce qu'elle vivait en symbiose avec des membres de la famille qui ne pouvaient se résigner à la voir partir et qui l'alimentaient énergétiquement. Et elle, collait à eux, croyant les aider, voulant les aider. Les vivants savent-ils qu'il faut laisser aller les âmes des morts, qu'il faut les aider même, parfois, à s'éloigner de la terre ? Les vivants savent-ils qu'avant de pouvoir assister qui que ce soit sur terre ou d'intercéder pour qui que ce soit, les morts doivent d'abord aller se régénérer dans l'au-delà, réparer leur corps de lumière, se guérir ?...

Et toi, ma grande, sais-tu qu'il vient un moment dans la vie, ou après la vie, où l'on doit s'occuper de soi, que de soi ?... C'est ce que je t'ai rappelé lors de notre contact et je n'ai pas été étonnée de la réponse : « Tu sais, quand on a passé toute sa vie à s'occuper des autres et à vivre seulement pour et par les autres, c'est bien difficile de se détacher... » Je sais, ma grande, je comprends. Tu voulais continuer à jouer ton rôle de mère et de mère substitut, après comme avant. Le besoin du don, le désir d'aimer et d'être aimé perdurent après la mort, bien évidemment. Peut-être aussi ton mental ne pouvait-il s'empêcher d'être dans l'action, qui sait ? Pour calmer sa peur, sa peur de l'après... J'aimerais te dédier un poème-prière, ma soeur, un poème que j'ai écrit pour quelqu'un d'autre déjà, à l'occasion d'une autre séparation difficile. J'aurais aimé te lire ce texte avant ton décès car il te va comme un gant. Je ne l'ai pas fait. J'ai respecté le tabou alors, une fois de plus. Mais, peut-être ce poème peut-il en inspirer d'autres maintenant.

Prière avant la mort pour celui qui part
et pour celui qui reste

Moi, Seigneur, je suis celui qui part et j'ai peur.

Et moi, Seigneur, je suis celui qui reste et j'ai peur.

J'ai peur Seigneur. Je voudrais vivre. Je n'ai pas encore épuisé la vie, ou si peu, ou si mal. J'ai passé ma vie à courir, Seigneur, après le temps, après l'argent, après le bonheur, derrière la vie. J'ai passé ma vie à travailler, Seigneur. À courir, à suer, à travailler, à tourner en rond, à travailler, à tourner en rond. J'ai passé ma vie à fuir, Seigneur. À travailler, à suer, à courir, à fuir, à avoir peur, à avoir mal, à suer, à travailler. J'ai passé ma vie à avoir peur, Seigneur. À avoir peur de vivre ou de mourir, à fuir, à tourner en rond, à avoir peur de perdre ou... de gagner. À avoir mal de vivre, à fuir, à fuir, à tourner en rond, à courir, à fuir...

Et moi, Seigneur, j'ai passé ma vie à tourner en rond autour de lui, à fuir avec lui, à courir derrière lui, après lui, après sa vie, après la vie. Mais je pense bien que quelque part, en courant, je me suis perdu de vue, très longtemps. J'ai peur, Seigneur, de devoir courir seul maintenant, sans lui, tout seul derrière ma vie.

J'ai peur Seigneur. Je voudrais bien mourir, si c'est l'heure, mais je ne sais pas ce qu'il y a derrière la mort, derrière le mur, derrière le noir. J'ai peur, Seigneur, de partir seul dans tout ce noir. J'ai peur du mal que la mort, peut-être, me fera, en passant. Puis, j'ai peur de l'après comme j'avais peur de l'avant. J'ai peur du néant, Seigneur, ou pire encore, peur de la vie après la mort.

Et moi, Seigneur, je voudrais bien le laisser mourir si c'est l'heure. Mais j'ai peur. Peur de la vie après sa mort, peur de ma vie, peur de ma mort, peur de la mort avant la mort.

Ah Seigneur, si seulement on me laissait partir, peut-être bien que j'aurais moins mal. Et si l'on m'aidait... peut-être bien que j'aurais moins peur. Aide-moi, Seigneur ! Il doit bien y avoir un chemin plus court, un chemin plus clair. Délivre-moi du mal de mort, Seigneur ! Et tends-moi la main... vers la Lumière !

Il doit bien y avoir un chemin vers la Lumière, Seigneur...
Tends-lui la main et... montre-moi le mien !

Amen !...

Tu te reconnais dans le personnage qui part, pas vrai, dans celui qui a passé sa vie à courir, à avoir peur, à fuir ? Et il semble bien que la fuite ait perduré après ta mort. Pas facile de quitter la terre, on dirait. Ça y est, tu es partie maintenant. Je t'avais dit : « On va t'aider, ma grande. On va se réunir pour une méditation et on va pousser sur toi. » C'est ce qu'on a fait.

Nous nous sommes réunies chez Johanne, ta fille, le 21 avril passé. Un jour de printemps, c'est un bon moment pour emprunter le chemin de la lumière, pas vrai ? Nous étions douze autour de la table.[27] Douze femmes, tes soeurs, tes amies proches. Nous avons d'abord procédé à un rituel amérindien que tu connais. Nous avons appelé l'énergie des quatre points cardinaux. Puis, nous t'avons parlé tour à tour, t'avons dit nos mercis, t'avons fait nos adieux. Nous avons pleuré un peu. Pour quelques-unes, beaucoup. C'était essentiel. J'ai fait entendre aux autres le dernier message que tu avais laissé dans ma boîte vocale et que j'avais gardé. Ensuite, j'ai effacé le message. C'était nécessaire, je crois, pour le détachement. Car peut-être que moi aussi je te retenais un tout petit peu, inconsciemment. Cela m'a été difficile. Je n'entendrai plus jamais ta voix, ma grande, sinon au-dedans de moi. Puis, je t'ai parlé à mon tour et je t'ai dit que j'allais t'immortaliser dans mon nouveau livre. Ça t'a fait plaisir, j'en suis certaine.

Après les adieux, nous sommes entrées en méditation. Une méditation silencieuse, profonde, pendant laquelle Marise et ses guides ont pris subtilement ta main et t'ont accompagnée sur la route un moment. C'était là ton dernier souhait. Tu avais peur de ne pas pouvoir toute seule. Selon Marise, tu t'es retournée à plusieurs reprises. Je te reconnais bien là. Pas pressée de quitter un *party*... Mais, une fois passée la porte (il y avait, semble-t-il, une porte d'arche sur le sentier), Marjolaine et Manon, tes filles, t'attendaient de l'autre côté. Tu les as alors prises par la taille et tu t'es mise à marcher d'un pas différent, alerte, rapide, comme quand tu étais plus jeune, que tu marchais avec nous et que nous devions courir pour te rattraper. Le ciel, paraît-il, se transformait et devenait, à mesure que tu marchais, de plus en plus lumineux. Tu avais trouvé ton chemin vers la Lumière.

Finalement, ce furent les agapes. Un vrai repas de cabane à sucre, comme tu les aimais tant. Nous avons arrosé ton départ de vin et de sirop d'érable. Une entrée au paradis, ça se fête. Bon voyage, ma grande ! Je t'aime, tu sais. Et nous t'aimons tous. Merci pour tout !

---

27   Je remarque seulement maintenant, en écrivant, la symbolique des nombres: 21 et 12. Chacun des deux, par l'addition de ses composantes, donne le 3 qui, lui, recèle l'énergie sacrée de la trinité Corps, Âme, Esprit, et conséquemment, l'énergie du catalyseur qui permet le changement et la réunification.

Je viens de lire une autre histoire vraie sur la mort. Une histoire qui me touche profondément et qui aurait beaucoup touché ma soeur confrontée à la mort. Le livre témoignage de Mitch Albom, qui porte, lui aussi, le titre *La dernière leçon*[28], est antérieur à celui de Noëlle Châtelet, mais il vient seulement de me tomber entre les mains. Et c'est une heureuse coïncidence car il offre une leçon de détachement bien différente de la première et pour laquelle je n'aurais peut-être pas été prête avant. Il ne s'agit pas ici du détachement de celui qui reste, mais du détachement de celui qui part. Donc, celui que je devrai moi-même accomplir avant de mourir.

Pas question de suicide, cette fois. Pas question de fuite devant la déglingue et la dépendance. Lorsque Morrie Schwarz, professeur de sociologie depuis plus de trente ans dans une université du Massachusetts, apprend, à soixante-dix-huit ans, qu'il est atteint de la maladie de Lou Gehrig et qu'il ne lui reste que quelques mois à vivre, il se pose la question : « Bon, et maintenant ?... » Et, étonnamment et très rapidement, il accepte. Il choisit de s'entraîner à ne pas avoir honte de décliner et à ne pas avoir peur de mourir. Il choisit de faire face. « Il va faire de la mort son ultime projet, la placer au centre de sa vie. »[29] Et, pour que sa mort serve aux vivants, il choisit même d'en faire un enseignement, de raconter le voyage. Dans une série d'entrevues télévisées d'abord. Mais aussi, de façon plus intime, dans une série de rencontres avec son ancien élève Mitch, un journaliste sportif bien coté de Détroit et particulièrement axé sur l'image et la performance.

Et la leçon que le maître sert à l'élève, semaine après semaine, et que celui-ci nous retransmet, c'est la leçon du lâcher-prise total, du deuil de la vie au jour le jour. Morrie arrive, malgré les résistances de l'ego, à se détacher progressivement de son travail, de ses performances physiques, de ses activités sociales, de ses biens matériels, des siens. Et surtout, de son corps. Il se détache de tout, y compris de sa fierté. Au début, il avoue à Mitch une limite à sa tolérance. Celle de se faire essuyer le derrière par quelqu'un d'autre. Mais il dépasse cette limite. Il choisit d'aimer sa déchéance et surtout, sa dépendance.

---

28   Albom, Mitch, **La dernière leçon**, Paris, Pocket, 1998, 188 p.
29   Ibid., p. 26.

Et même d'y trouver du plaisir. « J'ai commencé à aimer ma dépendance. Maintenant, j'aime qu'on me tourne sur le côté et qu'on me frotte le derrière avec de la crème pour m'éviter des escarres. J'aime qu'on m'essuie le front, ou qu'on me masse les jambes. Je me délecte. »[30] Il compare cet abandon à celui que l'on connaît lorsqu'on est bébé et totalement dépendant. Il en vient à recevoir chaque soin, chaque attention que l'on a pour lui, comme une dose d'amour dont il se nourrit. « Nous savons tous comment faire pour être un enfant. C'est inscrit à l'intérieur de nous. En ce qui me concerne, il s'agit simplement de retrouver le plaisir que j'avais étant enfant. »[31] Ce n'est pas une mince affaire, encore moins une mince leçon.

Ce que Morrie Schwarz fait, en réalité, c'est de briser les tabous face à la maladie et à la mort. C'est d'aller à l'encontre de la culture moderne. La culture de la dignité dans la beauté, la performance et l'autonomie. Lui, place la dignité dans l'acceptation de ce qui est et l'abandon à ce qui vient. Il adopte une attitude tout à fait opposée à celle de la vieille dame qui se suicide par fierté, pour éviter la déchéance de la dépendance. Je ne juge ni l'un ni l'autre. J'ai éprouvé un grand respect et une grande compassion pour cette nonagénaire qui se donne stoïquement la mort et qui prépare sa fille dans l'amour le plus total et la sollicitude d'une mère enseignante, voire d'une mère sage-femme, comme elle l'avait été dans la vie. Mais j'éprouve un grand respect, une touche d'admiration et beaucoup de tendresse pour ce vieux professeur qui s'abandonne, qui se laisse couler dans la maladie et dans la mort. Il est évidemment plus près de moi et de ma nouvelle vision des choses. Il est plus près de ma sœur Solange aussi, qui a accepté, à la toute fin, de laisser tomber la pudeur, de se laisser donner son bain, bichonner, toucher, aimer. Bravo, ma grande, pour cet abandon in extremis !

Marie de Hennezel, qui signe l'introduction à *La dernière leçon* de Mitch Albom, parle elle-même, à plusieurs reprises, de Morrie Schwarz dans son dernier livre *Mourir les yeux ouverts*[32]. Elle n'est pas d'accord, on le constate, avec le suicide des vieux, pas plus qu'avec

---

30   Ibid., p. 131.
31   Idem.
32   De Hennezel, Marie, **Mourir les yeux ouverts**, Paris, Albin Michel, 2005, 196 p.

l'euthanasie, et elle cite le cas de Schwarz comme l'exemple d'une mort responsable, consciente et assumée. Pour ma part, je retiens qu'il y a plusieurs façons de mourir, plusieurs approches, toutes aussi correctes, peut-être, les unes que les autres. Ou... toutes aussi tristes, c'est selon. C'est chacun sa façon. C'est chacun sa mort comme c'est chacun sa vie. Moi, je cherche une autre façon, une autre voie entre le refus et la résignation, entre le suicide et la déglingue à n'en plus finir. *Il doit bien y avoir un chemin plus court, un chemin plus clair.* [...] *montre-moi le mien !* Je constate aujourd'hui que c'est pour moi que j'ai écrit ces lignes. N'écrit-on pas toujours pour soi ?

Une phrase revient souvent dans le discours de Morrie Schwarz, comme un leitmotiv, qui m'émeut profondément: « C'est quand on apprend à mourir qu'on apprend à vivre. » Cette phrase me touche car elle fait écho au thème et au titre de mon ouvrage. J'ai choisi de la retenir et de la mettre en exergue à mon témoignage. J'espère surtout que je retiendrai l'enseignement de ce livre peu banal et de ce professeur hors du commun. Que je retiendrai la leçon d'abandon et, qu'un jour, je deviendrai l'enfant auquel j'aspire depuis si longtemps. Dans la vie comme dans la mort...

VIII

Les chemins de traverse

Sur la route de mon enfant intérieur, c'est-à-dire sur la route de la guérison de mes peurs et sur celle du bonheur, j'ai dû passer par des chemins tortueux, des chemins qui ressemblent à des sorties de route ou à des chemins de traverse. Je tiens à dire, d'entrée de jeu, que ces chemins sont loin d'être inutiles et qu'ils font partie du grand cheminement de la Vie. De plus, je sais qu'ils sont le choix de mon âme. Alors, je les accepte.

Un de ces chemins fait partie de mon histoire récente. Il s'agit de mon passage dans une secte de 1991 à 1995. J'hésite à en parler ici car j'ai déjà publié, en 2004, un bouquin de deux cents pages qui témoigne de cette aventure.[33] J'hésite à en parler aussi parce que certains de mes lecteurs, proches ou moins proches, ont vu de l'exhibitionnisme dans mon récit, de l'étalage d'âme et, pire encore, de l'étalage d'expériences négatives. Bien sûr, tout le monde le sait, il y a « des choses » qu'il faut taire dans la vie... Un peu de tenue tout de même !

J'ai bien peur de décevoir encore certains d'entre vous. Je ne me suis nullement amendée. Je n'ai nullement corrigé le tir dans le présent ouvrage qui, tout autant que le premier, prend l'allure d'une

---

33   Il s'agit, bien sûr, de **Lettres ouvertes à mon gourou** que j'ai déjà cité plus haut.

confession. Je me suis prononcée, plus tôt, sur la nécessité de reconnaître sa dualité pour en guérir. J'ajouterai simplement ici que rien ne ressemble plus à une âme qu'une autre âme et que cette histoire, au delà de mon histoire à moi, est l'histoire d'une âme. Libre à vous de vous saisir du miroir... Bref, je reviens sur cette expérience parce qu'elle s'inscrit dans ma réflexion actuelle, que ma voix intérieure m'y pousse et qu'elle peut peut-être vous servir.

Les Lettres ouvertes, que j'ai écrites à l'intention de mon ex-gourou pendant plus de six ans, comportaient un large volet dénonciation. Il m'apparaissait nécessaire à l'époque, et dans un premier temps, de révéler et de dénoncer les credo et les comportements sectaires. Il y a des abus de pouvoir qu'on ne peut laisser passer sans s'en rendre complice. Mes lettres allaient beaucoup plus loin cependant. Elles exploraient ce que j'ai appelé et que j'appelle toujours ma « secte intérieure », c'est-à-dire mon élitisme, mon idéalisme hypertrophié, et ses origines. Cette descente en moi a eu pour effet de m'amener au réalisme, à la responsabilisation, au pardon. Aujourd'hui, je suis à mille lieues d'un projet de dénonciation. Je cherche seulement à pousser plus loin ma quête de vérité profonde et à en témoigner le plus honnêtement possible.

Qu'est-ce qui peut bien, au delà de la naïveté ou de la crédulité, attirer quelqu'un dans un groupe de cheminement spirituel, sinon le désir de transmuter sa peur de vivre et de mourir ? Sinon le désir d'arriver plus vite à l'éveil ? Et sinon le manque de confiance en ses seules capacités pour y arriver ?... Et qu'est-ce qui peut bien, au delà de la manipulation et de l'intimidation, garder quelqu'un dans un groupe qui devient intransigeant voire totalitaire, sinon ses propres intransigeances ? Sinon ses propres urgences ? C'est sur ces questions que porte ma réflexion actuellement.

Un sérieux danger, je crois, guette les âmes en quête d'élévation. Et j'ajouterais en quête de bonheur, puisque les deux se confondent pour moi et pour tant d'autres depuis si longtemps. C'est le danger de vouloir s'élever trop vite et surtout de vouloir se dépasser en dépassant les autres. C'est le danger du *meilleurisme* ou de l'élitisme dont je parle abondamment dans mes Lettres ouvertes. On nous promettait un raccourci pour le Ciel dans ce groupe et cela a suffi pour nous y attirer et pour nous y garder. Moi d'abord, ma grande ensuite, tout aussi pressée que moi, d'autres membres de ma famille et... combien d'autres ? Je sais cependant que ce sentiment d'urgence, que cet idéal de performance, n'est pas exclusif aux sectes.

Une amie religieuse m'a raconté un jour que pendant sa période de noviciat, elle s'était inventé un slogan pour la stimuler dans son cheminement spirituel. « Get holy quick ! » se répétait-elle et répétait-elle à son amie la plus proche lorsque les contraintes et les sacrifices se faisaient trop lourds ou trop fréquents. J'ai beaucoup ri quand j'ai entendu cette anecdote pour la première fois. Mais ce que je n'ai pas dit à mon amie, alors, c'est que son slogan me convenait parfaitement, qu'il était au fond de moi, ancré depuis toujours dans ma culture religieuse et dans mes mémoires cellulaires. Je sais, aujourd'hui, qu'il est au coeur de l'ADN de la grande majorité des humains, qu'il est au programme des religions et des sectes et qu'il se prolonge dans le plus profane mais non moins élitiste : « Sky is the limit ! » Pourquoi ?

C'est la mythologie grecque, encore une fois, qui me permet d'y voir plus clair, qui me livre une partie de la réponse. Les héros mythiques, vous savez, sont beaucoup plus réels qu'on ne le croit. Ils incarnent des facettes de notre inconscient collectif et représentent, ce faisant, des archétypes de notre société humaine. Quand je regarde plus avant en mon âme, aujourd'hui, je reconnais, derrière l'énergie de Sisyphe, celle d'Icare. Vous savez, le héros volant qui s'est approché trop près du soleil malgré l'interdit paternel ? « Et tant pis si ça brûle ! », dirait mon amie Lise...[34] Avec le recul, je constate qu'Icare est mon frère, sinon mon double. Je constate aussi qu'il est normal qu'Icare cohabite en moi avec Sisyphe, son jumeau. En effet, le sentiment d'être enchaîné à son rocher et le désir de voler, de se libérer, de s'élever au-dessus de sa condition coexistent au coeur de l'homme depuis sa rupture avec la Source, j'en suis certaine. Icare, pour moi, ne fait pas que défier son père. Il n'est pas que le modèle de la témérité et de la démesure humaines, du mégalomane atteint de la *folie des grandeurs*. Il est l'ange déchu à la recherche du paradis perdu, à la recherche de Dieu.

---

34   Une touchante publication de Lise Thouin, parue chez Libre Expression en 2001, s'intitule : **Toucher au Soleil... et tant pis si ça brûle...** Cette oeuvre remarquable nous parle de l'amour absolu et, plus encore, de l'amour de l'Absolu tout court.

Les énergies d'Icare, à l'instar de celles de Sisyphe, ne datent pas d'hier dans mes gènes. À la fin de mon secondaire, au spectacle de fin d'année, je me souviens que notre professeure de diction, pourtant la seule prof laïque du couvent, nous avait fait présenter collectivement au public un poème à forte connotation mystique. Un poème qui s'appelait *Partir...* J'ai évidemment oublié les paroles de ce poème. Je me souviens seulement de l'exaltation qu'il suscitait en moi et de la passion que je mettais à rendre mes extraits. Je n'étais pas la seule d'ailleurs. Je me souviens que ce texte nous allumait toutes, qu'il allait nous chercher dans notre soif d'aventure, notre désir de conquête du monde, mais plus encore dans notre soif de dépassement, notre soif d'absolu, notre désir de voler. Il est possible même qu'il ait été à l'origine de quelques vocations religieuses dans notre groupe de finissantes.

Je n'ai jamais fait de recherche pour retrouver les paroles de ce poème. J'ai fait mieux encore, et cela tout à fait inconsciemment. Quelque trente-cinq ans plus tard, vers la fin de ma période de poésie thérapie, qui coïncide avec la fin de mon expérience de retour à la terre, j'ai moi-même écrit un poème que j'ai intitulé *Je partirai...* Avec le recul, je constate que ce poème traduit le même idéalisme, pour ne pas dire le même élitisme, que celui de mon adolescence et qu'il vient tout droit de mon côté Icare.

Je partirai...

Je partirai
sur la voie nouvelle
car la vie est désormais ailleurs
Et toi...
Toi, tu me suivras si tu veux
ou peut-être pas
sur cette voie, là-bas, qui s'ouvre
au bout de mon champ, au bout de mon âme, au bout de mon sang

Par delà les villes et les villages
et les lacs et les rivières, et les pays, et les mers, et la terre
Par delà les frontières
Par delà les barrières
Par delà les cimes et les sommets

Par delà les nuages
Par delà mes rêves
et par delà mon coeur
Par delà le jour et la nuit
Par delà la mort et la vie
Par delà la matière tout entière
je partirai

Je partirai sur la voie nouvelle et tant de fois millénaire...

Je partirai...
vers la VIE qui m'appelle
là-haut, dans le ventre du Soleil
en plein feu, en pleine folie, en plein Dieu !

Je partirai
J'abolirai les frontières
Je franchirai les barrières
J'ouvrirai la voie

Pour que l'Innommable puisse être nommé
pour que la Liberté soit enfin libérée
je partirai

Et un jour, un jour, tu partiras toi aussi
sur la voie nouvelle
Tu... ouvriras la Voie
Et l'on se reconnaîtra dans la Joie
Et l'on se fondra
sans frontière
sans barrière

Et l'on éclatera de mille étoiles
Et ce sera le nouveau Recommencement
la Fête retrouvée
Et l'on pourra chanter enfin, danser enfin, s'Aimer enfin...

Pour l'Éternité à jamais
dans les siècles des siècles...
JE PARTIRAI
AMEN...

Je ne rougis pas de ce poème. Je le trouve beau et inspirant. Il me rappelle le *Partir* de mes dix-sept ans, mais aussi la magistrale chanson de Ferland *Un peu plus loin*, qu'on dirait tout droit sortie de la bouche d'Icare.[35] Mon poème va plus loin cependant que ces deux textes dans sa ferveur mystique. Certains y ont vu des fantasmes suicidaires. D'autres, un appel à entrer dans cette cinquième dimension promise et explorée par certains initiés. Moi j'y vois, a posteriori, le rêve d'Icare tout simplement, porté par les âmes en quête d'absolu. Les âmes pressées qui refusent les compromis et qui souvent rejettent leur humanité...

Ce n'était pas tout à fait mon rêve à moi, cependant. Ce que je dois vous avouer, que je n'ai pas encore dit, c'est que ce poème a connu la censure. Quand je dirigeais le journal de mon groupe, j'étais autorisée à soumettre à la grande responsable, la « gourou » de mon premier livre, certains textes de mon cru. Des éditoriaux, des contes, des poèmes, des textes humoristiques qui me semblaient pertinents et qui mettaient un peu de fantaisie dans l'affaire. Le poème *Je partirai...*, dans sa version initiale, fut le premier texte soumis. Quel ne fut pas mon étonnement, et ce fut là le premier choc et la première blessure encaissés dans ce groupe, lorsqu'on me demanda d'amputer de mon poème tout ce qui était duel, ambivalent. Tout ce qui faisait allusion au côté humain de l'homme. C'est-à-dire tout ce qui aurait pu porter ombrage à la pureté de la mission, ou encore... à l'image du gourou.

Après avoir protesté, après avoir argué que mon poème ne

---

35   Voici quelques extraits significatifs de cette chanson de 1969 :

> *Un peu plus haut, un peu plus loin*
> *Je veux aller un peu plus loin*
> *Je veux voir comment c'est, là-haut*
> *[...]*
> *C'est beau ! C'est beau !*
> *Si tu voyais le monde au fond, là-bas*
> *C'est beau ! C'est beau !*
> *La mer plus petite que soi*
> *[...]*
> *Un peu plus haut, un peu plus loin*
> *Je veux aller encore plus loin*
> *Peut-être bien qu'un peu plus haut*
> *Je trouverai d'autres chemins...*
> *[...]*

traduisait que la réalité terrestre et qu'on ne censurait pas un texte littéraire qui engageait la seule responsabilité de son auteur, j'ai cru que j'étais testée. J'ai cru que je subissais un test d'humilité et j'ai cédé. Je sais aujourd'hui que c'était un test de soumission au gourou et à ses guides de l'Invisible. Ma santé était alors en piteux état. Je venais de quitter l'enseignement. Je comptais sur mon engagement dans ce groupe spirituel pour guérir. Je n'ai pas eu la force de tenir tête... J'ai accepté de réarranger mon texte, de sacrifier certaines strophes empreintes de dualité. Je ne peux résister aujourd'hui à la tentation de réhabiliter ces strophes, de les soumettre à votre appréciation :

Je partirai...

[...]

Par delà les villes et les villages
et leurs petits rois et leurs nègres blancs
Par delà les frontières
Par delà les barrières
de race, de sexe ou de sang
à moins que ce ne soit d'argent...

Par delà les nuages
aux ventres mous et aux masques mouvants
Par delà le rocher, tout en bas, qui m'offre son flanc
Par delà ce cri d'orignal en rut qui brame
et que j'entends, comme un rappel
et ce chant d'oie sauvage
au loin, là-bas, dans le vent
comme un écho

Par delà mon coeur et ses histoires de coeur
et ses espoirs et ses délires
et ses amarres et ses blessures
et ses deuils et ses regrets
Par delà le jour et la nuit
Par delà la mort et la vie

Par delà la matière tout entière
qui coule dans mes os
et qui colle à ma peau
Par delà moi-même
et au delà de moi-même
Je partirai !...

[...]

Moins idéaliste, cette version ? Peut-être pas. Mais plus conforme à ma dualité, plus respectueuse de ma nature, de la nature humaine. J'aurais dû me douter, au moment de cet acte de censure, au tout début de l'aventure puisque le groupe était seulement en voie de se former, que j'avais affaire à un idéal sectaire. Je ne savais pas alors que l'idéalisme pouvait conduire si facilement à l'angélisme, au nombrilisme, à l'intégrisme. Je ne savais pas non plus, alors, que cet héritage élitiste était celui d'Icare et qu'il prédisposait les humains, ces anges déchus eux-mêmes, à toutes les guerres de pouvoir pour retrouver leur pouvoir perdu.

Icare, en s'approchant trop près du soleil, a fait fondre la cire qui retenait ses ailes et il est retombé dans la mer pour s'y noyer. J'ai bien failli, dans ce groupe et dans ce chemin utopiste, moi aussi brûler mes ailes et me perdre. Mais je réaffirme que point n'est besoin d'appartenir à une secte pour pratiquer l'angélisme. Nous sommes tous tributaires de l'orgueil des anges. À ceux qui croient que l'ombre n'existe que chez l'autre, à ceux qui disent qu'ils font le choix de ne travailler qu'avec leur côté lumière, à ceux qui jugent les humains et méprisent leur lenteur à évoluer, je réponds : Attention à vos ailes ! Vous pourriez les brûler...

Pour ma part, je le réaffirme, le chemin de traverse que semble avoir été pour moi l'expérience de la secte a contribué à me ramener sur terre. Il m'a appris l'humilité, la patience, la tolérance. Il me permet de me rappeler quotidiennement la nécessité du lâcher-prise. Et ce, dans le vivre comme dans le mourir. Alors je crois, par conséquent, qu'il n'a pas été un réel chemin de traverse mais une école, une étape dans mon apprentissage de la vie. Étape qui a engendré bien d'autres étapes. La vie n'est-elle pas une suite ininterrompue d'apprentissages ?...

IX

À l'origine de la peur

Mon épisode sectaire a été une expérience si bouleversante dans ma vie, il a tellement décuplé mes peurs que j'ai longuement dû travailler sur moi pour m'en guérir, pour m'en libérer émotionnellement et spirituellement. Bien sûr, pour déloger de mes cellules la terreur, la colère, la honte, je me suis mise à l'écriture de mes Lettres ouvertes. Mais, pour arriver à comprendre le pourquoi d'une telle aventure, qui ne pouvait être, à mon avis, autre chose qu'un rebondissement karmique, j'ai voulu aller à l'origine du problème. J'ai décidé de retourner, une fois de plus, dans mes vies antérieures.

Jadis, j'avais besoin de l'aide d'un thérapeute pour entrer en régression et ouvrir la porte de mon passé. Il me fallait apprivoiser mon inconscient, c'est-à-dire faire taire le mental pour permettre au cerveau droit de se dérouiller et de fonctionner. C'était un long travail de détente et parfois de ruse et de provocation. Aujourd'hui, je fais davantage confiance à mon inconscient, je devrais dire à mon Surconscient, depuis qu'un rêve m'a appris que je pouvais nager en toute facilité et en toute confiance dans les eaux profondes de mon océan intérieur. Je travaille donc seule, maintenant. C'est très simple. Je prends mon stylo et ma tablette à écrire et je m'assois dans une pièce retirée et calme. Je fais le vide, j'adresse une petite prière au divin en moi, me mets en état de réceptivité et pose la première question. Mon stylo se met alors en marche. C'est parti...

C'est cette technique d'écriture spontanée qui me permet d'aller dans le passé et d'obtenir des données. C'est elle qui me permet de parler avec certaines parties de mon corps, de converser avec l'âme des morts, parfois avec celle des vivants, et même de dialoguer avec les personnages dont j'ai antérieurement tenu le rôle. C'est encore elle qui me permet d'entrer en contact avec Clarisse, mon âme jumelle d'un autre plan[36]. Et mieux encore, et depuis plus longtemps, c'est elle qui me rend possible le dialogue avec la partie de moi que j'appelais jadis mon enfant intérieur, ma « petite fille », mais que je sais aujourd'hui être mon moi supérieur. Je l'appelle l'Esprit et Lui, Il les a les réponses, croyez-moi !

Évidemment, si je parlais de ce processus d'écriture à ma docteure, elle se poserait des questions sur ma santé mentale. Mais qui se préoccupe de l'avis de son médecin en matière de guérison spirituelle ?... Il s'agit d'une forme de channeling de moi à moi, ou plutôt de Moi à moi, et non de contact avec des entités extérieures. Je suis convaincue d'ailleurs que cet exercice est accessible à quiconque développe ses énergies yin et fait un tant soit peu confiance à son divin. Essayez, vous verrez. Ne forcez rien. Mettez-vous au neutre, recueillez-vous, ouvrez votre canal, posez la première question et faites confiance à votre stylo. Mais, n'en parlez pas à votre médecin...

Pour aller, donc, dans les expériences passées qui pouvaient me permettre de comprendre mon aventure sectaire, les dommages collatéraux qu'elle a engendrés, la peur qui l'a nourrie et qu'elle a décuplée, j'ai fait appel d'abord à mon Esprit. Je lui ai demandé de

---

36   Clarisse, dans la matière, est un personnage de tableau d'une grande beauté, qui représente l'unité cosmique en ce qu'elle est faite à même le ciel, l'eau et la terre. Elle est aussi un être vivant sur un plan plus subtil. Elle est apparue au peintre Jac Lapointe, le jour où il s'apprêtait à remplir pour moi une commande d'ordre technique, et elle lui a demandé de la peindre à mon intention. Lorsque j'ai eu vent de l'histoire, j'ai été très intriguée, et lorsque j'ai reçu le tableau, je me suis empressée de communiquer d'âme à âme avec Clarisse par le biais de mon stylo. Elle m'a alors révélé qu'elle était ma soeur cosmique, mon double non incarné, et qu'elle était là pour m'aider. J'ai pensé qu'elle était venue me guider dans la dernière partie de mes Lettres ouvertes. Je m'en suis remise à elle. Je lui ai même confié la rédaction de l'introduction et de l'épilogue qu'elle a dictés et signés. Elle m'a surtout aidée, je crois, dans les étapes de ma transformation intérieure et elle continue de le faire au quotidien.

me guider, à travers mon histoire, vers la vie-clé, vers le personnage significatif, c'est-à-dire vers la bonne histoire. Je vous livre ma conversation avec l'Esprit, qui remonte à quelques années déjà, et l'histoire qui s'est présentée pour que vous saisissiez mieux les méandres de la conscience et l'intelligence du divin en nous.

Une histoire de chevalier

- *Aide-moi, l'Esprit ! C'est Toi que j'appelle maintenant. Tu es mon Esprit et j'ai besoin d'aide. J'ai cru boucler avec les énergies de ma secte, mais je dois aller plus loin et j'ai peur...*

- *De quoi as-tu peur ?*

- *J'ai peur de ne pas trouver, de fabuler et d'en payer la note. J'ai peur de me tromper et de me casser la figure encore une fois. Surtout, j'ai peur de ce que je pourrais trouver, de ce que je pourrais apprendre sur moi et qui me ferait mal et plus peur encore. Je crois que j'ai peur d'avoir peur...*

- *Comme d'habitude ! Ce n'est pas la première fois que Je t'entends dire ça. Ça te vient de loin, la peur, tu ne l'ignores pas ?*

- *Je m'en doute un peu. Mais peux-Tu m'aider à avoir moins peur ?*

- *Je suis là. Est-ce que ça ne te rassure pas un peu ?*

- *Un peu, mais...*

- *Et si tu me disais ce que tu cherches exactement, peut-être que Je pourrais t'aider.*

- *Tu sais très bien ce que je cherche. Je cherche à me débarrasser des problèmes de santé liés à mon expérience de secte, à commencer par l'usure de mon système nerveux et la venue d'acouphènes. Je cherche aussi à comprendre mes peurs. Et d'abord, je cherche à trouver l'origine de mon lien avec les sectes. J'imagine bien que celle-ci n'a pas été la première. Je tente de régler avec elle, mais je n'y arrive pas. Mes consultants me disent d'aller voir au delà de la secte. Ghislain m'a suggéré de visionner d'un coup la série La Secte maudite et de laisser tomber les barrières, c'est-à-dire de regarder la vérité en face. Odette, ma thérapeute, m'a affirmé, pour sa part, que j'étais connectée à des vies passées et que je devais accepter d'aller voir dedans.*

- *Et qu'as-tu fait jusqu'à maintenant ?*

- *Eh bien, j'ai visionné d'un trait La Secte maudite et je me suis laissée guider vers un livre sur les Templiers que j'achève de lire.*

- *Et tu cherches à te retrouver dans tout ça ?*

- *Je cherche une piste.*

- *Avec ta tête, comme d'habitude ?*

- *Comment peut-on chercher autrement quand il s'agit de reconstituer l'histoire ?*

- *Tiens, tiens ! Ne connais-tu pas une autre approche ?*

- *Oui, je connais l'approche de la régression en état altéré de conscience que j'ai souvent pratiquée.*

- *C'est tout ?*

- *Non, je connais aussi le dialogue avec Toi.*

- *C'est-à-dire avec Toi !*

- *Ouais, peut-être... Mais Tu le sais, je ne me fais pas confiance...*

- *Écoute, c'est le troisième trait de caractère que tu révèles de toi depuis le début de cette conversation et les trois sont largement à l'origine de tes démêlés avec les sectes. La peur, le recours au mental et... le manque de confiance en toi. Les trois sont liés d'ailleurs. Parce que tu n'as pas confiance en toi, en tes intuitions et en ta divinité, tu as peur de te tromper et de passer à côté de la Lumière. Alors, ou bien tu cherches avec ta tête et tu te perds dans les méandres de ton mental, ou bien tu cherches à l'extérieur, dans les ordres religieux ou dans les sectes, et tu y laisses ton pouvoir.*

- *J'ai souvent fait ça dans d'autres vies ?*

- *Et comment ! Si ça peut te rassurer, tu n'es pas la seule. C'est l'histoire de l'humanité... Une histoire qui, pour la plupart, se répète d'époque en époque et de vie en vie. Et ce n'est que ça le karma, tu sais, la fameuse loi du retour. Comme d'une certaine manière tu vis toutes tes vies au présent, tu dois vivre avec ce qu'on peut appeler les « séquelles » de tes autres vies, c'est-à-dire avec des traits de caractère anciens qui sont toujours là et que tu es venue transformer.*

- *Explique-moi mieux cette histoire de vies qui se vivent toutes en même temps. J'ai de la difficulté avec ça.*

- *Souviens-toi de tes lectures.*

- *C'est vrai. Richard Bach parlait déjà, dans UN, en 1989, de vies parallèles qui se vivraient en même temps sur des plans différents.[37] Mais c'est resté obscur pour moi.*

- *Souviens-toi aussi des CONVERSATIONS AVEC DIEU de Neale Walsch[38] que tu as lues plus récemment, de la comparaison faite par Dieu et qui t'avait frappée.*

- *Ah oui, la comparaison avec des feuilles plantées sur un pique-notes. Nos vies seraient superposées dans l'espace-temps et s'interpénétreraient, même si l'on n'a conscience que de la feuille du dessus. On vivrait nos vies à la verticale plutôt qu'à l'horizontale, c'est-à-dire de façon non linéaire.[39]*

- *Tu vois bien que tu comprends !*

- *On pourrait aussi dire que, dans l'énergie, le présent s'étire à l'infini pour englober le passé et le futur. C'est ainsi que le Dieu des CONVERSATIONS AVEC DIEU peut affirmer que « toute chose existe dans l'Éternel Instant Présent ».[40]*

- *De mieux en mieux !*

37 Bach, Richard, **Un**, Québec, Un monde différent, 1989, 320 p.
38 Walsch, Neale Donald, **Conversations avec Dieu**, Montréal, Ariane, 1997-1999.
39 Ibid., tome II, p. 28.
40 Walsch, Neale Donald, **L'amitié avec Dieu**, Montréal, Ariane, 2000, 330 p.

- *Je ne suis pas une physicienne quantique, mais je sais qu'il y a plusieurs niveaux de réalité et que le temps est une illusion liée à notre entrée dans la matière. Dans le monde subtil, il n'y a pas lieu de quantifier le temps.*

- *Et qu'est-ce que tout ça t'amène à conclure sur ta vie présente ?*

- *Je conclus que ma vie actuelle, celle du dessus, est la synthèse de toutes mes vies, donc de tout ce que je suis, et que je suis venue parfaire le tout en transformant ma vie présente. Est-ce que ça se tient ?*

- *C'est une brillante déduction. Bravo ! Et c'est bien ce que Je disais. « Vivre avec les séquelles » veut dire travailler à les défaire. Je le répète, c'est ça le sens du karma... Souviens-toi des « collages » dont parlait ton amie Renée lors d'une séance de channeling.[41] C'est exactement ça, et toi tu as choisi de faire beaucoup de « décollage » en cette vie. Actuellement, tu es en train de décoller le côté sectaire en toi et les peurs qui l'ont généré.*

- *Mais si tout se vit au présent, pourquoi retourner dans mes vies antérieures pour me connaître et me transformer ?*

- *Oh, ce n'est certes pas une absolue nécessité. Tu pourrais travailler sur tes vies « intérieures » et ce serait tout aussi valable. Mais cette approche est fort utile parce qu'elle permet la distanciation. C'est une technique de miroir. C'est une façon de projeter sur un écran une couche de ta personnalité et d'étudier tes comportements anciens et présents. C'est une bonne technique à condition d'adopter l'oeil du témoin, c'est-à-dire de prendre ça comme un jeu, de ne pas dramatiser, de ne pas culpabiliser...*

- *Et de ne pas avoir peur de fabuler...*

- *Oh, pour ça tu n'as rien à craindre, tu ne peux pas fabuler. Tout ce que tu écris est vrai puisque tu crées ta réalité dans l'instant présent.*

---

41   Il s'agit de Renée Causse-Biscarat, auteure du livre **Rencontre au centre de soi-même**, publié chez Ariane en 1988 et auquel je consacre un chapitre dans mes Lettres ouvertes. Renée est devenue une grande amie et a fait avec moi et parfois pour moi quelques séances de channeling.

- *Holà, attends une minute ! Tu veux dire que ce que j'écris devient vrai à mesure que je l'écris ? Tu n'y vas pas de main morte ! C'est vrai que j'ai lu ça dans un livre déjà, une histoire fantastique.*

- *C'était un livre hautement inspiré.*

- *On y lisait exactement ceci : « Tu notes tout ce qui arrive ? [...] Tout ce que je note arrive, fut la réponse... »[42]*

- *C'est tout à fait juste. Et cela veut simplement dire que tu ne peux écrire rien d'autre que ce que tu es.*

- *Est-ce à dire que, pour expliquer mes démêlés avec les sectes, je pourrais raconter n'importe quelle histoire, n'importe quelle vie antérieure qui me vient à l'esprit et qu'elle serait vraie ?*

- *À condition que tu aies préalablement posé la bonne question et que tu écrives spontanément. La réponse est au bout de ton stylo. Essaie ! On va bien voir...*

- *Très bien, mais je Te préviens, j'écris vraiment n'importe quoi...*

- *Quelle est la question déjà ?*

- *Pourquoi la secte dans ma vie ?*

- *Pourquoi la secte en toi, tu veux dire ?...*

- *Bon, si Tu y tiens ! D'où me vient la secte en moi ?*

- *Alors, vas-y !*

> *Il était une fois, à l'époque des Croisades, un preux et noble chevalier franc qui désirait servir son roi et sauver son âme, ce faisant. Il résolut, avec quelques compagnons d'armes, de se faire moine dans l'Ordre des Templiers et de consacrer sa vie à défendre, contre les attaques des infidèles, les pèlerins de Jérusalem. La Terre Sainte l'avait toujours fasciné, attiré. Il s'y voyait sur les traces du Maître Jésus. Il désirait marcher dans Ses pas et parachever le pèlerinage entrepris des siècles*

---

42   Ende, Michael, **L'histoire sans fin**, Paris, Livre de poche, 1984, 534 p.

auparavant. C'était pour lui un appel profond, une vocation. Il décida de se rendre à Jérusalem de façon à être reçu et attaché à la maison chêvetaine, soit la maison-mère, et convainquit ses compagnons de l'imiter.

- *Dis-moi, l'Esprit, est-ce que je suis sur la bonne voie ?*

- *C'est intéressant, continue !*

Lors du cérémonial d'investiture, le fier chevalier fut troublé par l'ampleur du défi qui l'attendait. L'ascèse des voeux !... Oh, la pauvreté ne lui faisait pas peur. Il n'était guère attaché aux biens de la terre. Depuis le temps qu'il était sur les routes... La chasteté non plus. Il savait que pour se rédimer de ses péchés anciens et sauver son âme, il devait châtier ses naturels instincts. La prière et le recueillement ne le rebutaient certes guère. Il avait l'âme plutôt méditative, ayant grandi seul auprès de parents âgés et religieux. Au travail de combattant, il était déjà aguerri, de même qu'à l'entraînement et qu'à la besogne d'entretien des armes. Non, ce qui lui faisait peur, c'était qu'après avoir été « sire de lui-même », il devait accepter d'être « serf d'autrui ». C'était d'abandonner sa volonté au Commandeur et de devenir « esclave de la maison ». Là, était l'ascèse...

- *On voit que tu as lu sur la question. Tu emploies le vocabulaire de l'époque. Tu fais très couleur locale...*

- *Il n'est pas défendu d'avoir des lettres ! Non, sérieusement, il fallait bien que je me documente un peu sur la question. Je ne peux me souvenir de tout. Cependant, je Te dirai que ce vocabulaire m'est tout à fait familier. Il monte tout seul.*

- *C'est bon signe. Tu peux poursuivre.*

Le fier chevalier craignait donc de prêter serment d'obédience. Il se savait un esprit fort critique, une forte tête selon son père, et il se méfiait de sa superbe. Mais ses motifs supérieurs d'action, ses désirs de rédemption et de service, sans oublier sa peur de l'enfer, étaient si présents en lui qu'il fit taire ses scrupules et qu'il prêta tous les serments requis pour être accepté dans la Maison du Temple. Il se disait que ce serait là une bonne occasion de pratiquer l'humilité et d'acquérir toutes les vertus qui lui faisaient défaut pour mener le bon combat et conquérir son éternité...

- Conquérir son éternité ! Plus guerrier que ça, tu meurs !

- Ouais, le chevalier avait été habitué à la méthode forte, au langage militaire et à celui de l'ascèse. De son père, il avait appris qu'il fallait « lutter pour sa foi, défendre la Sainte Église, reconquérir le Saint-Sépulcre, reprendre la Terre Sainte »... De sa mère et de son éducation puritaine, il retenait qu'il devait « combattre ses bas instincts, vaincre le Mal, échapper à la géhenne éternelle, anéantir le Vilain »... Toute sa vie, il s'était fait rebattre les oreilles avec ce vocabulaire guerrier et manichéiste.

- C'est assez pour abîmer le système nerveux et provoquer des acouphènes ! En tout cas, ça explique déjà beaucoup de tes peurs et de tes comportements. Mais... continue !

Le noble chevalier, à l'instar de ses compagnons d'armes, fut accepté à la maison-mère de Jérusalem. Il reçut blanche robe et croix vermeille et connut des débuts relativement heureux. Il s'attira même la sympathie du Maître qui lui confia bientôt toutes sortes de responsabilités et celle du Commandeur qui l'envoya rapidement au combat, dans des expéditions, tantôt préventives, tantôt punitives, contre les Sarrasins. Au combat, il excellait. Il se comportait même de façon téméraire, adorant se battre à un contre deux et parfois contre trois, quatre ou cinq...

- Dis donc, l'Esprit, est-ce que je dois raconter tout ça ? Ça dure des années, Tu sais... Il y aurait matière à écrire un livre.

- Non, il n'est pas nécessaire de réécrire LA CHANSON DE ROLAND. Cela a déjà été fait.

- Je vois que Toi aussi, Tu as des lettres. Ou plutôt non, dans Ton cas, il s'agit de la science infuse, je suppose...

- Je ne sais pas tout.

- *Non ! Qu'est-ce que Tu ne sais pas ?*

- *Par exemple, Je ne sais pas où tu vas en venir avec ton récit.*

- *Ça tombe mal ! Moi non plus je n'en sais rien... et je comptais sur Toi pour me guider.*

- *Je suis là, mais c'est toi qui tiens le stylo. Tu as le choix des mots et de l'histoire.*

- *C'est ça le libre arbitre, je suppose ?*

- *Ça fait partie du libre arbitre. Ça se passe bien d'ailleurs, mais Je vais te suggérer un raccourci. Tu peux te contenter de relater les faits saillants et surtout ce qui te permet de mieux te connaître sous les traits de ton moine soldat.*

- *Comme quand je faisais de vraies régressions ? Mais là, je Te l'ai dit, moi j'écris ce qui vient.*

- *C'est le jeu, non ?*

- *Bon d'accord. Je vais tenter d'être plus concise.*

> *Les années passèrent. Le valeureux templier participa à de nombreuses expéditions guerrières. Il accompagna et protégea des milliers de pèlerins. Il entraîna des troupes, dirigea des détachements, tua des centaines de Sarrasins. Il reçut moult blessures dont il se remettait toujours. Il était satisfait de ses performances, mais avec le temps et la réflexion, il lui arrivait de se demander pourquoi il devait abattre autant de guerriers musulmans. Car ces combattants semblaient tout aussi courageux que lui, tout aussi fiers et tout aussi convaincus de la foi qu'ils défendaient. Bien sûr, aux yeux des Chrétiens c'étaient des infidèles. Bien sûr, le Commandeur commandait de les occire jusqu'au dernier. Bien sûr, le pape était derrière le Commandeur. Mais Maître Jésus Lui, dont il connaissait la vie et l'idéal de paix, que pensait-Il de tout ça, là-haut ? Notre moine chevalier se posait de profondes questions.*

À la Maison du Temple de Jérusalem, il en allait de même. Pourquoi toutes ces courbettes et pourquoi toute cette hiérarchie ? Pourquoi cette règle si rigide, tous ces credo qui lui pesaient tant à présent ? Pourquoi toutes ces réprimandes, tous ces châtiments, toutes ces humiliations et toutes ces exclusions de l'Ordre ? Et pourquoi toutes ces rivalités avec les frères des autres ordres ? Le doute s'installa en lui à demeure. Il n'osait poser toutes ces questions, tout haut, à ses supérieurs. Il avait fait vœu d'obédience. Il avait peur qu'on l'accusât de forte tête, qu'on l'expulsât peut-être. Il avait peur du châtiment, du déshonneur et du rejet. Seul son confesseur, parfois, recevait ses confidences et s'inquiétait du salut de son âme.

Le moine à l'esprit rebelle ne fit pas d'esclandre. Il se retira plutôt en lui-même et refoula ses questionnements. Au combat, le guerrier désabusé se mit à combattre de façon moins convaincue, à donner des chances à l'ennemi, à secourir même parfois, espérant ne pas être vu, un adversaire blessé. Si bien que ses frères d'armes commencèrent à se poser des questions. Ils ne le reconnaissaient plus. Ils se demandèrent même, entre eux, s'ils ne devaient pas parler de son cas au Commandeur ou faire rapport contre lui au Conseil du Temple. Ils hésitaient...

Mais ils n'eurent le temps de poser aucun geste. Peu de jours plus tard, lors d'une bataille particulièrement inégale et sanglante, alors qu'on devait se battre à un contre dix, ils virent leur compagnon tomber dans une embuscade, c'est-à-dire marcher droit sur l'ennemi, se laisser encercler, puis...

- *Pourquoi t'arrêtes-tu ?*

- *Parce que je pense à une chose. Mon guerrier entretenait bien des peurs, mais sûrement pas celle de la mort. Il passe sa vie à risquer sa vie, de façon parfois très téméraire, et pour finir, il se laisse abattre par l'ennemi. Es-Tu sûr qu'il est... mon ancêtre ?*

- *Ah, pour ça, oui, Je suis sûr qu'il est ton ancêtre. T'es-tu déjà arrêtée à penser que la témérité pouvait masquer la peur et que la mort pouvait être une fuite ?*

- *Il n'y a pas meilleur que Toi pour dégonfler mes illusions. Mais explique-moi. Je le trouvais brave, moi, ce guerrier, et sympathique.*

- *Moi aussi, Je le trouve brave et sympathique. Il apprend. Il comprend. Il élargit sa conscience tout au long de cette vie guerrière. Mais il n'a pas réglé ses problèmes d'ego. Sa bravoure est une façon de tromper sa peur, de même qu'une façon d'aller chercher l'admiration et le respect de ses compagnons et de ses supérieurs. Comme toi dans cette vie. Souviens-toi de tes aventures de jeunesse casse-cou...*

- *Tu as raison. Qu'est-ce qu'on ne ferait pas pour se mériter la reconnaissance des siens ! Et son désir de mourir, lui ?*

- *Il s'agit d'une fuite devant ses responsabilités. Ton guerrier avait peur de la mort tout au fond de lui. Mais il avait encore plus peur de vivre et de faire face. Tu as souvent fait ce choix dans tes vies passées, de te réfugier dans la mort plutôt que de prendre ta place. Tu as failli répéter ce choix dans ta secte. Tu vois bien que ton guerrier est ton ancêtre par filiation énergétique.*

- *Tu me scies les jambes ! Alors, je ne veux pas qu'il meure de cette façon-là. Je refuse de faire de mon héros un perdant ou une victime. Encore moins un martyr... Ce n'est pas ce que je veux pour lui ! Je veux qu'il s'en sorte !*

- *Que veux-tu exactement pour lui ?*

- *Je veux qu'il vive et qu'il parle. Tu dis qu'il a élevé son niveau de conscience au cours de cette vie guerrière. Je veux qu'il témoigne et qu'il amène d'autres frères à la conscience.*

- *Alors, tu sais ce qu'il te reste à faire. C'est toi qui écris !*

- *Je peux changer la fin ? Je peux changer le cours de l'histoire ?*

- *Qu'est-ce que tu crois ? N'oublie pas que tout ce que tu écris arrive !*

- *Et que c'est mon histoire que j'écris, que c'est ma vie que je crée...*

- *Et que tu crées au présent, qu'il n'existe, dans l'absolu, qu'un éternel présent.*

- *Wow ! C'est aussi facile que ça ?*

- *Évidemment. Et que choisis-tu comme dénouement ?*

- *Je n'ai même pas besoin d'écrire la fin. Je vais Te raconter ce qui arrive après. Mon guerrier de moine, atteint de plusieurs coups, est laissé pour mort sur le champ de bataille. Mais il n'est que blessé et, à la tombée du jour, il est trouvé par un vieil ermite qui, passant par là comme par hasard, le transporte dans sa grotte, le soigne avec des cataplasmes et des tisanes thérapeutiques, et le guérit.*

- *Tu coupes ça un peu court maintenant. Ça devenait palpitant.*

- *Oh, ce n'est pas fini. Il se remet lentement de ses blessures. Et, comme Tu le sais, ce sont les blessures de l'âme qui sont les plus longues à guérir... Alors, il devient l'ami du vieil ermite et apprend à son contact le sens de la vie. C'est-à-dire qu'il retrouve la sagesse et les connaissances qu'il avait au-dedans de lui et qu'il avait un peu oubliées au hasard des vies.*

- *C'est tout ? Et son engagement envers le Temple ?*

- *Ce n'est pas tout. Il ferme les yeux du vieux sage qui meurt quelques années plus tard. Puis, il a la tentation de retourner au Temple se faire reconnaître, rendre son armure et les armes qu'il avait conservées et proclamer son affranchissement.*

- *Pourquoi ne demande-t-il pas l'élargissement de ses voeux plutôt ?*

- *Parce qu'il n'a plus de maître à qui il doit obéissance. Il comprend maintenant qu'il est libre, qu'il est son propre maître et qu'il doit assumer sa vie.*

- *Et alors ?*

- *Alors, il renonce même à son projet d'aller au Temple. Il prend conscience que la liberté est intérieure, qu'il est déjà affranchi et qu'il n'a à provoquer personne pour s'affirmer.*

- *Et ensuite ? Que fera-t-il du reste de sa vie ?*

- *Il continuera d'apprivoiser ses peurs et sa liberté retrouvée. Il s'emploiera à apprendre le bonheur, le lâcher-prise, l'acceptation inconditionnelle de soi et des autres, toutes ces vertus quasi occultées à son époque, mais dont il se souvient. Il vivra seul, mais il accueillera les chevaliers errants et les âmes blessées et il leur dispensera compassion, amitié et enseignements. Peut-être même témoignera-t-il par l'écriture...*

- *Et de quoi témoignera-t-il ?*

- *De lui, de sa vie, de ses peurs et de ses relents d'ego, de ses apprentissages, de sa divinité en marche, de sa quête, quoi !*

- *C'est une histoire qui finit bien, Je te félicite. Ou plutôt... c'est un magnifique plan de vie. Bravo !*

- *Seras-Tu là pour m'aider, pour stimuler en moi ce chevalier des temps modernes ?*

- *Écoute. N'oublie jamais que nous sommes un. Toi et ton chevalier médiéval. Toi et tes frères d'armes, c'est-à-dire les humains en cheminement. Toi et ton ami ermite. Et Toi et Moi surtout. N'oublie pas que Je suis toi, que Je m'incarne en toi, que Je me crée à travers toi. Ne nous sépare jamais plus et tu verras que tu n'auras plus jamais raison d'avoir peur, que tu n'auras plus jamais besoin des Églises, des ordres religieux, des sectes et des gourous de tout acabit pour te guider !*

- *Et assurer mon salut...*

- *Je ne veux plus jamais t'entendre parler de salut ! Tu n'es pas perdue. Il ne s'agit que de te réunifier. Contente-toi d'annoncer la bonne nouvelle !*

- *Je sais, je blaguais. Il ne me reste qu'à ne jamais plus oublier...*

Et voilà ce qui sortit, ce jour-là, de mon stylo. Voilà ce que j'appris sur moi et sur mon passé icarien, passé qui en dit long sur mon présent. L'élitisme de fond, les peurs multiples, le désir de salut par l'ascèse et par le combat contre le Mal m'ont fait faire, en ces temps-là, des choix que j'ai répétés en cette vie. Ma vocation religieuse et guerrière de l'époque et mon adhésion récente à un groupe spirituel d'élite originent du même idéal du « get holy quick », de la sanctification spontanée, c'est-à-dire du même ego. Et j'ai fait ça, dans les deux cas, au péril de ma vie et au détriment de mon bonheur. C'est fort, la programmation cellulaire...

Heureusement que j'ai changé la fin de l'histoire, me direz-vous. Heureusement ! Et ce pour les deux vies... Ça me permet de voir qu'il y a de la petite Anne en moi depuis un certain temps déjà et que c'est peut-être là ma planche de salut. Je viens de relire le chapitre IV du fameux *UN* de Richard Bach, chapitre qui m'avait particulièrement impressionnée à l'époque. J'y lis que les idées, que les histoires préexistent à nos vies et qu'elles leur servent de matériaux de construction. Elles existent de façon virtuelle, évidemment. Dans LE PLAN. Dans une autre dimension. Dans un monde spirituel, accessible à l'âme et à même lequel nous pouvons choisir de bâtir nos destinées, nos vies, nos histoires. Et il va de soi que, si nous pouvons choisir nos histoires, nous pouvons en changer en tout temps.

J'ai changé la fin de l'histoire, mais des histoires comme celle-là et des plus pénibles encore, il y en a tellement eu dans mon itinéraire spirituel que je sens les gènes d'Icare encore extrêmement présents dans mon ADN. J'ai même repris contact, sous la guidance de l'Esprit toujours, avec une vie de supérieure de couvent au XVIIième siècle, dont on m'avait déjà révélé l'existence. Je m'y suis retrouvée en révérende austère et intransigeante, mais rongée par le doute. Et surtout, en nonne hypersensible et capable de perceptions extrasensorielles, qui avait des visions et qui était horrifiée parce que des visions sataniques venaient se superposer parfois à ses visions christiques. Elle était tenaillée par la peur. Elle se croyait damnée et, pour se purifier, pour se racheter et mériter son Ciel, elle se flagellait, jeûnait et portait le cilice. On la retrouvait évanouie, parfois baignant dans son sang. Quelle misère !

Je me suis même laissé dire que certaines maladies de ma vie actuelle seraient l'héritage de cette vie-là. Que, inconsciemment, je me châtierais toujours, dans ma chair, pour expier je ne sais quelle faute ancienne, pour apaiser je ne sais quel Ciel vengeur. Est-ce Sisyphe qui n'en peut plus et qui prend les « rochers doubles » ? Est-ce Icare qui, sur les ailes du martyre, veut s'approcher encore plus près du Soleil ? À moins que ce ne soit Prométhée, le titan révolté, cloué à son rocher, le foie déchiré par l'aigle, puni pour avoir dérobé à Zeus des semences d'intelligence divine qu'il aurait distribuées aux mortels... À moins que ce ne soit Prométhée qui persiste à défier les dieux et qui accepte d'en payer le prix. Là, tous mes héros intérieurs se rejoignent vraiment dans leurs croyances mythiques et dans leurs tendances à l'autodestruction. Et je sais que je me dois de les accepter, de les reconnaître et de les aimer inconditionnellement pour les amener ailleurs.

Me vient, à l'instant, un souvenir d'enfance qui corrobore parfaitement l'histoire misérabiliste d'un grand nombre de mes vies antérieures et qui me fait faire un constat douloureux sur mon présent. Je me rappelle avoir trouvé dans les vergers de mon père, à l'âge de neuf ou dix ans, un rameau de cenellier séché et couvert de longues aiguilles menaçantes. Dans mon imaginaire religieux d'enfant exaltée, j'ai tout de suite vu, dans ce rameau, la couronne du Christ sur la croix. Et, croyez-le ou non, par sympathie pour les souffrances de mon Maître et Sauveur, je me suis tressé, à même ce rameau, une couronne d'épines que j'ai timidement posée sur ma tête, espérant ne pas être vue, puis que j'ai enfermée dans un coffret et cachée bien soigneusement dans le placard de ma chambre à coucher. Je tenais à conserver cette couronne. Je voyais dans ce geste, à l'époque, un symbole de mon amour pour Jésus et un désir de participer à son oeuvre de rachat du monde. Aujourd'hui, j'ai gagné en lucidité. Je reconnais là une névrose profonde, c'est-à-dire une culpabilité cellulaire et un engagement à souffrir qui dure encore. Et ce, même si je coupe énergétiquement avec ce geste toutes les fois qu'il me vient à l'esprit... Je reconnais là, également, les énergies « coupables » de ma mère, celles de sa mère à elle et celles de ses aïeux. Celles de tous mes ancêtres judéo-chrétiens, bien évidemment. C'est transgénérationnel, voyez-vous, la peur de l'enfer, le désir de rachat, la culpabilité...

La culpabilité... à l'origine de la peur, de la peur existentielle, de la peur de vivre et de mourir... Cela vous étonne ? Je devrais plutôt parler du complexe ou du sentiment de culpabilité. Mais pour moi, c'est la même chose, le sentiment actuel étant la conséquence d'une faute ancienne ou, en tout cas, de la croyance en une faute ancienne. Croyance ancrée dans la mémoire génétique et qui nous fait rechercher, vie après vie, la porte étroite du salut. Je reviens à plusieurs reprises sur cette culpabilité névrotique dans mon premier ouvrage. Je formule même l'hypothèse qu'elle nous viendrait d'aussi loin que de la création.[43] La dernière création, bien sûr. (Daniel Meurois dirait : « La dernière vague de création »[44].) Peu importe ! L'important, c'est de guérir la blessure originelle, c'est d'arrêter le massacre !

Mais que comprenez-vous quand je parle de rébellion des anges, de rupture, de séparation d'avec Dieu ? C'est vrai que je consacre de nombreuses pages à ce thème dans mes Lettres ouvertes, mais j'y fais allusion également dans cette histoire-ci et je ne suis pas la seule à en parler. Peut-être êtes-vous plus familiers avec « la chute des anges » ? Notre chute ! Il s'agirait, en fait, de la chute de notre taux vibratoire, conséquence de nos choix d'origine, qui aurait abîmé notre ADN et nous aurait fait glisser d'un plan plus subtil à cette matière dense dont nous avons beaucoup de mal à nous extirper aujourd'hui. Je ne veux pas me répéter indûment, ni réécrire mon premier livre. Je veux seulement souligner ici que, si nous voulons guérir de nos peurs et de leurs effets psychiques et physiques, il nous faut aller à la source de nos névroses et de nos croyances. Il nous faut non seulement les identifier, mais les assumer. Tout est affaire de responsabilisation.

Se responsabiliser sans se culpabiliser... pas facile ! Ma grande avait beaucoup de mal avec ce concept, elle qui se sentait toujours coupable de quelque chose et qui se réfugiait souvent dans le déni pour régler son problème... Je devrais plutôt dire se déculpabiliser en se responsabilisant. En se reconnaissant tout entier dans sa dualité, c'est-à-dire aussi dans son côté ombre. Mon Dieu que c'est difficile ! J'y travaille très fort. C'est pour ça que je me confesse à vous. C'est pour ça que je fais mon *coming out* d'ange déchu...

---

43   Voir lettre XX.
44   Meurois-Givaudan, Daniel, **Comment dieu devint Dieu**, Montréal, Le Perséa, 2005, 170 p.

X

Le nécessaire retour à Soi

Je trouve le problème tellement important que j'y reviens. La culpabilité, je devrais dire la culpabilisation, ça vous connaît, vous ? Si vous me répondez non, je ne vous croirai pas. Les psys de tous ordres en savent long sur la question et pourraient nous en parler longuement. La culpabilité à la source de nos peurs, de nos somatisations, de notre incapacité à aimer, de nos sabotages de bonheur... Est-il une seule démarche de thérapie qui ne mette le doigt, un jour ou l'autre, sur une poche de culpabilité ? Une poche souvent enfouie profondément, occultée par l'inconscient. Une poche qui étouffe l'âme, qui fait des ravages tant dans la psyché que dans le corps.

Daniel Meurois consacre un de ses récents ouvrages, *Ce clou que j'ai enfoncé*,[45] à explorer, à travers un personnage biblique, le sentiment de culpabilité chez l'humain. Il avance, en avant-propos, que nous sommes tous atteints du mal de son héros. Mal qu'il qualifie lui aussi de « blessure originelle ». Il avance que « le non-amour de soi est une véritable lèpre qui ronge l'humanité », que le « mea culpa de notre enfance » a fait de nous des coupables en même temps que des victimes. Et il nous propose déjà une piste de solution : « [...] réapprenons à nous aimer... »[46] Piste qui, au premier abord, m'est apparue trop simple parce que ne contenant pas le mode d'emploi.

---

45   Meurois-Givaudan, Daniel, **Ce clou que j'ai enfoncé**, Montréal, Le Perséa, 2004, 312 p.
46   Ibid., p. 5 à 9.

Mais Daniel fait mieux que de nous donner un mode d'emploi, je crois. Il nous fournit lui aussi, à sa manière, le miroir qui nous permet de nous regarder. Il lève le voile sur le cas de Nathanaël, le bourreau qui a enfoncé le premier clou dans le poignet de Jésus sur la croix, et nous met ainsi face à nos propres clous enfoncés dans notre divinité. Pourquoi le premier clou et pas le deuxième, vous demanderez-vous ? Parce que Nathan s'est mis à vomir et qu'il a été incapable de passer au deuxième. Parce qu'il n'était pas un bourreau professionnel, un violent ou un insensible. Et surtout, parce que le Maître lui a souri et l'a interpellé à deux reprises juste avant qu'il n'enfonce son clou : « Ainsi, c'est toi, Nathanaël... »[47] Ces paroles d'une grande douceur, ces paroles de « reconnaissance », auraient pu le sauver, lui qui n'avait jamais été reconnu par personne. Au lieu de cela, elles ont contribué à enfoncer le clou de la culpabilité au coeur de l'apprenti bourreau.

Nathan passera sa vie à s'enfoncer dans son sentiment coupable, à se mépriser, à s'autoflageller, en dépit de tous les clins d'oeil que le divin lui adresse en cours de route. Il répétera le *pattern* pendant des vies et des vies. Il explorera toutes les facettes du non-amour de soi et des autres. Il ira d'extrême en extrême. Il cultivera la souffrance, l'amertume et l'autodérision jusqu'à plus soif. Jusqu'au jour où, touché par la grâce, interpellé à nouveau et à répétition par le Ciel, il réussira à sortir de la gangue de son mental et à reconnaître le divin en lui. Non incarné actuellement, Nathanaël a voulu témoigner par le biais de la plume de Daniel et aider les humains de la terre à sortir de leur propre prison mentale. Nous habitons tous cette prison depuis si longtemps qu'il nous faut un peu d'aide pour nous en libérer.

Pour être bien honnête avec vous, je dois vous avouer que je n'ai pas aimé ce livre à la première lecture. Pour comprendre après coup que ce n'était pas le livre que je n'avais pas aimé, mais le personnage. J'ai méprisé même, j'ai pesté intérieurement contre ce *looser*, ce perdant chronique qui s'entête, qui met tant de temps à comprendre, malgré ses privilèges, malgré l'amitié et les enseignements de l'apôtre Jean, malgré les appels répétés du Maître, et qui semble se complaire dans le jugement et la culpabilité.

---

47   Ibid., p. 29.

Mais une fois la lecture terminée et avec un peu de recul, j'ai compris que si je n'aimais pas ce personnage, c'était peut-être parce qu'il était mon reflet et que son histoire ressemblait à la mienne. Moi qui retrouve sans cesse dans mes gènes les peurs et les contradictions de mon chevalier templier. Moi qui porte encore les stigmates et les doutes de la mère supérieure dans mon physique et dans mon mental. Moi qui, lors d'une récente lecture d'aura, ai fait la connaissance d'un autre personnage torturé et orgueilleux de mon histoire... Il s'agit d'un grand scribe égyptien qui a vécu sous Akhenaton, « le pharaon ivre de Soleil », il y a près de 3500 ans, et qui, pour se venger d'un rejet amoureux, s'est rendu coupable de trahison. Et il semble qu'en tant que dépositaire des énergies du grand scribe, j'aie reconduit son sentiment de culpabilité dans ma vie actuelle. Pire encore, il semble que j'aie gardé la mémoire des conséquences de son geste (un dard enfoncé dans le rein droit) et que j'aie cristallisé ce dard dans un calcul rénal qui s'avère aujourd'hui terriblement difficile à éliminer. Après la première lecture de l'histoire de Nathanaël donc, après une première prise de conscience, j'ai eu la tentation de ne pas être fière de moi, de m'en vouloir de n'avoir pas compris plus tôt moi non plus. Ou... d'avoir oublié. Et puis, je me suis dit que, non, je ne retomberais pas dans le piège de l'autojugement et du tapage sur la tête.

Je viens de relire, un an plus tard, *Ce clou que j'ai enfoncé*. Cette fois, j'ai laissé entrer, jusqu'au coeur de mes cellules, ce clou pour moi guérisseur parce que révélateur et porteur d'espoir. Mais qu'est-ce que je n'avais pas compris plus tôt, à l'instar de Nathanaël ? Qu'est-ce que les hommes ne comprennent pas ou se plaisent à occulter ? Et qu'y a-t-il à comprendre ? Je crois qu'il y a à comprendre que, si le libre arbitre existe, il existe à des fins d'apprentissage et que le sentiment de culpabilité est non avenu. Il peut y avoir erreur ou illusion, mais non pas faute. Et s'il n'y a pas faute, il ne peut y avoir châtiment. Et donc, la peur du châtiment elle-même est non avenue. Dieu ne châtie pas ! C'est nous qui nous punissons parce que nous nous croyons coupables et pécheurs...

Daniel Meurois posait déjà, en avant-propos, la question qui contient sa propre réponse: « Un apprenti est-il coupable de son état d'apprenti ? »[48] Nathanaël, au cours de son récit, exprime la même

---

[48]   Ibid., p. 9.

idée. Il raconte qu'après sa mort, il a entendu de la bouche du Maître venu l'accueillir : « La Vie ne punit rien ni personne, vois-tu. Elle enseigne ! Elle S'enseigne en toi ! »[49] Puis, à la fin de sa plus récente vie terrestre, lorsqu'il se libère enfin de la mémoire de son clou, il remercie car il comprend qu'il n'a plus à implorer le pardon : « Plus de pardon parce que plus de faute... Et en toute vérité, il n'y avait même jamais eu de faute... Rien qu'un oubli... »[50] De quel oubli Nathanaël parle-t-il et qui nous concerne tous ? De l'oubli du divin en nous, bien sûr. De nos origines divines, de notre nature divine et de notre participation au Plan divin. La « faute » serait donc le fruit d'un « oubli ». Moi, je dirais d'une méprise, d'un malentendu, d'une mauvaise lecture de la part de notre mental. Bonne nouvelle, pas vrai ? Une lecture, ça se change...

Mais tout n'est peut-être pas aussi simple. Nathanaël nous lègue encore, en épilogue, une pensée qui va plus loin et qui nous donne un éclairage important sur le karma : « Ce sentiment de faute, nous finissons par le marquer au fer rouge dans la mémoire des cellules subtiles de notre âme. Il nous suit ainsi d'existence en existence, laissant sa trace perverse et programmatrice jusqu'au coeur de nos centres énergétiques. Il nous plombe même jusque dans la trame de nos organes. [...] C'est ainsi que se tricote ce que l'on appelle le karma... »[51] Cette conception du karma rejoint la notion de « séquelles », évoquée par l'Esprit au chapitre précédent, et celle de « collages », avancée par mon amie Renée en channeling. Renée soutenait d'ailleurs déjà, dans *Rencontre au centre de soi-même*, que le karma est le produit de la culpabilisation plutôt que de la faute et qu'il s'agit de se débarrasser de son complexe pour se libérer du karma. Bravo à Renée pour cette lumineuse intuition ! Mais, encore une fois, tout n'est peut-être pas aussi simple. Comment se libère-t-on du sentiment de culpabilité ? Est-il suffisant de savoir qu'un programme n'a pas sa raison d'être pour arriver à s'en départir ?...

Et puis, le problème est profond. Je crois pour ma part avec certains auteurs que le karma, même le plus lourd, s'inscrit lui aussi dans la dynamique du libre arbitre et qu'il est destiné à servir à

---

49 Ibid., p. 243.
50 Ibid., p. 297.
51 Ibid., p. 301.

l'apprentissage. Il semble même, selon Kryeon, que nous obéissions à des contrats d'évolution passés avec ceux qui s'incarnent autour de nous (famille, amis, etc.) et interagissent, parfois brutalement, avec nous, dans nos vies. Serait-ce à dire qu'il nous faut d'ores et déjà nous débarrasser de nos outils douloureux, mais jusqu'ici privilégiés, d'apprentissage ?… Même si notre intellect sait maintenant et accepte qu'il existe d'autres outils, d'autres possibles, comment nos cellules, elles, peuvent-elles se laisser convaincre sans tomber dans la peur du vide ? Quand nos Églises nous enseignent, depuis des millénaires, le poids de la faute et qu'elles proposent comme seule solution la fameuse porte étroite. Quand nos mères, conditionnées par les enseignements religieux, distillent déjà en nous, à travers le lait maternel, la peur de l'enfer, comment pouvons-nous libérer notre mental et notre âme de nos peurs et de nos croyances ? Même une fois que nous savons comment se tissent le complexe de culpabilité et ses effets karmiques, même une fois que nous avons compris que nos croyances sont désuètes et inutiles, que pouvons-nous faire pour nous en délester ?

Je ne prétends pas posséder le mode d'emploi universel. Je peux cependant témoigner de ce que je tente de faire moi-même depuis tant d'années. J'ai intitulé ce chapitre *Le nécessaire retour à Soi* et je crois que la clé est là. Car le retour à Soi, c'est-à-dire à sa divinité, permet et engendre l'amour de soi. Reconnaître que notre âme d'humain a un problème est un premier pas. Reconnaître nos choix et nos chemins anciens en est un autre. Mais reconnaître et accepter notre nature divine est le pas majeur. Ensuite, une fois que l'on a bien cerné la dimension énergétique et cellulaire de la programmation à la culpabilité, je suis sûre que l'on peut entrer en soi pour aller déloger le programme et le remplacer par un autre plus positif. C'est une question d'alchimie ou de transmutation. Cela peut se faire de bien des façons, à condition que l'énergie passe par le chakra du cœur, le grand transmutateur. Moi, vous le savez déjà, j'ai choisi de nettoyer mes croyances et de guérir mes mémoires cellulaires beaucoup par le biais de l'écriture. Il y a longtemps déjà, j'ai écrit ce poème que j'aimerais vous confier à l'oreille.

Mon plus tendre je t'aime est un je m'aime...

Ce matin, mon plus tendre je t'aime est un je m'aime
Ce matin, j'effeuille la marguerite pour moi-même
Et c'est mon plus beau poème !

Je m'aime, qui l'eût dit ?
Je m'aime, qui l'eût cru ?
Je m'aime un peu
Je m'aime beaucoup
Je m'aime à la folie
Je m'aime comme je suis...

C'est pas si facile, ça, m'aimer comme je suis. Quand ça fait des siècles qu'on se massacre, qu'on se nourrit de dérision jusqu'à l'âme, et d'autopunition, qu'on se regarde la faute originelle en plein coeur du nombril et qu'on n'arrive jamais à l'effacer. C'est pas si facile ça, effacer les : Tu ne vaux rien, tu n'y arriveras jamais ! Ou bien les : C'est ta faute, salope, tu iras en enfer ! Ou pire encore, les: Je ne vaux rien ! C'est ma faute ! Je n'y arriverai jamais ! Salope !

Mais ce matin, je crois bien que c'est fini
Je m'aime comme je suis
Le mépris... point du tout
Je m'aime et c'est tout
Ce matin, je m'aime...
par amour
par fantaisie
au mariage, tiens...

Oui, ce matin, je me demande en mariage. C'est avec moi que j'ai envie de passer ma vie, toutes mes vies, et de vivre mon éternité. C'est moi que j'ai envie de bercer, de consoler, de serrer dans mes bras, le soir avant de me coucher. C'est moi que je veux dans mon lit. C'est moi que j'ai envie de séduire. C'est moi que j'ai envie de guérir de tous mes maux, de tous mes mots... C'est moi que je veux comme amie. C'est moi que je veux dans ma vie. Et c'est de moi que je veux accoucher.

Car, ce matin, je m'aime
et c'est gratuit
Ce matin, je me choisis
Je m'aime parce que je m'aime
Je m'aime parce que je suis
et c'est pour la vie...

Mais que suis-je donc, ce matin, pour m'aimer ainsi ? Et quoi donc a changé, cette nuit, dans ma vie ? Oh rien ! Moi, je n'ai pas changé. Ou du moins, pas tellement. Ou plutôt si, un peu, pourtant. Ce qui a changé, de fait, c'est la lunette qui me sert à me regarder. Et peut-être que j'ai changé le miroir aussi. Oui, la nuit dernière, cette nuit, au creux d'une insomnie, je me suis regardée dans un miroir tout neuf, avec des yeux tout neufs et me suis vue toute neuve.

Et me suis trouvée belle et bonne
Et me suis trouvée bonne et belle
Et me suis trouvée grande
Et me suis trouvée
DIEU...

Alors, aujourd'hui, ce matin, j'ai à nouveau consulté mon miroir. Je me suis dit... la nuit, les ombres, c'est trompeur. Peut-être que tout était déformé. Peut-être qu'il faisait trop noir. Peut-être que...

Mais...
J'ai à nouveau trouvé DIEU
Et DIEU était belle
et bonne
et grande
et c'était moi...
Et DIEU était LUMIERE
et c'était moi...
Et DIEU était PARDON
et c'était moi...
Et DIEU était AMOUR
et c'était moi...

Alors ce matin, j'ai cessé de chercher... les raisons de m'aimer.
Alors ce matin, j'ai décidé... pour l'éternité ! Alors ce matin, j'ef-
feuille la marguerite pour moi-même.

> *Je m'aime*
> *un peu*
> *beaucoup...*
> *Et plus encore*
> *et jamais trop*
> *et encore plus*
> *toujours plus haut !*
> *Je m'aime pour ce que je suis*
> *Je m'aime parce que je suis*
> *Je m'aime parce que je m'aime*
> *un point, c'est tout !*

Alors ce matin, mon plus tendre je t'aime est un je m'aime...

Et... c'est mon plus beau poème !

L'amour de soi, l'énergie salvatrice... « C'est là que tout débute, vois-tu, par l'amour de soi. »[52] Jean rapporte ici à Nathanaël les paroles qui lui ont un jour été adressées par le Maître. Et il cite à nouveau : « C'est cela être digne et fier... Apprendre à poser un nouveau regard sur soi... et sur Ce à quoi chacun est destiné. »[53] L'enseignement vient de haut. L'amour de soi est cependant l'énergie la plus difficile à développer, comme vous et moi l'expérimentons chaque jour, car elle se heurte au mur des programmations cellulaires. Alors, je le répète, il faut changer de programme...

Je ne recommande pas à tout le monde d'écrire des poèmes pour changer de programme, ni même d'écrire tout court. J'entends d'ici vos protestations : « Je travaille, moi, je n'ai pas le temps d'écrire. » Ou encore : « Je ne suis pas un poète, moi, je n'ai aucune facilité

---

52   Ibid., p. 109.
53   Ibid., p. 110.

pour l'écriture. Alors, comment je peux faire pour arriver à me reprogrammer ? » Eh bien, la solution ne passe pas nécessairement par le stylo. La lecture et l'ouverture à ce que vous lisez sur le sujet est un premier pas. Ensuite, pour n'en nommer que quelques-unes, la méditation, la visualisation, l'imagerie mentale, l'autohypnose, sans oublier les conversations répétées avec votre moi divin sont des méthodes de suggestion peut-être tout aussi valables que l'écriture pour influer sur votre subconscient.

Pour la plupart d'entre nous, cependant, un travail encore plus en profondeur est nécessaire. Je pense à un travail subtil sur l'ADN. On sait maintenant que notre ADN comporte des composantes magnétiques dont les chakras, nos centres énergétiques, sont les portes d'entrée. On sait, en fait, que l'ADN existe d'abord dans nos corps subtils, qu'il est donc en grande partie d'ordre vibratoire, et qu'il peut être reprogrammé par électromagnétisme. Lee Carroll nous faisait part, déjà en 1998, de cette révélation de Kryeon dans son livre *Partenaire avec le Divin*[54]. Depuis, il a reçu de nombreuses communications sur la composition des douze hélices de notre ADN, communications qu'on peut trouver sur Internet (www. Kryon.com) et qui nous montrent bien que la partie connue et biologique de nos hélices n'est que la pointe de l'iceberg. Des scientifiques américains prennent les révélations de Kryeon très au sérieux. Selon Carroll, certains considèrent même que le clonage, que l'on sait être une technique de transplantation nucléaire, reposerait sur la reprogrammation du noyau par électromagnétisme. Si ça ne marche pas encore très bien, c'est peut-être parce qu'il ne faut pas que ça marche !... Mais c'est aussi parce que les généticiens s'intéressent encore trop essentiellement au plan biologique et pas assez au plan vibratoire dont ils ne possèdent pas la clé...

Une chercheuse québécoise, Kishori Aird, naturopathe et intuitive médicale, va dans le même sens que Kryeon. Dans un ouvrage intitulé *L'ADN démystifié*, elle soutient que c'est dans les 97% non utilisés de notre code génétique, c'est-à-dire dans les hélices désactivées de nos corps subtils, que se trouve la clé du changement. Cette désactivation produite, on s'en doute, lors de notre chute vibratoire et de notre entrée dans la matière serait réparable. Encore une fois, bonne

---

54   Carroll, Lee, Kryeon, tome IV: **Partenaire avec le Divin**, Montréal, Ariane, 1998, 384 p.

nouvelle ! Les thérapeutes inspirés seraient-ils en avance sur les scientifiques en matière de saut quantique ?... Madame Aird nous indique la voie, selon elle, de la réparation : « Comme l'ADN superflu a un champ vibratoire et électromagnétique qui répond bien à l'intention, c'est le pouvoir de l'intention qui agira et nous guidera dans ce travail de reprogrammation. »[55] Et elle propose un guide pratique d'autoreprogrammation fort détaillé.

Le pouvoir de l'intention ! Vous penserez tout de suite aux affirmations auxquelles nous nous sommes tous adonnés un jour ou l'autre. La méthode de Madame Aird va beaucoup plus loin et produit, je l'espère, des résultats plus durables. Mais, là aussi, il y a toutes sortes d'approches et, pour ma part, je crois que si nous voulons entreprendre un travail énergétique de mutation de nos cellules, car c'est de cela qu'il s'agit, il faut plus que connaître et appliquer une technique. Il nous faut vraiment croire en notre dimension divine et nous y accrocher. Puis, il nous faut peut-être aussi travailler en relation avec un humain, une personne apte à soutenir et valider notre démarche. Il n'y a pas de honte à se faire aider. Personnellement, en plus d'utiliser le médium de l'écriture, je travaille sur mon ADN par le biais de l'auriculothérapie. Je le fais avec l'aide d'une thérapeute et j'entretiens avec elle un lien basé sur la confiance mutuelle, l'ouverture du coeur et l'amour inconditionnel. Ce lien m'aide à m'aimer moi-même et à faire circuler en moi l'énergie guérisseuse. Je le répète, c'est le chakra du coeur qui est le grand transmutateur et l'Amour est l'énergie avec laquelle on peut construire.

Et là, j'entends encore une fois vos questions : « Est-ce que ça marche pour vous ? Comment se porte votre ADN ? Êtes-vous déprogrammée de vos peurs métaphysiques ? Êtes-vous guérie de vos nombreux problèmes de santé ? À vous lire, on dirait bien que non. Alors, cordonnier mal chaussé, qui êtes-vous pour nous indiquer la voie ? » Voilà, je ne suis pas différente de vous. Je n'ai rien d'une *superwoman*. Je ne suis ni une miraculée, ni une guérisseuse, ni un gourou. Je ne suis qu'un être humain en marche. Un être humain avec tout ce que cela comporte de divin. Un être humain qui cherche, qui expérimente et qui témoigne de ses découvertes au cas où celles-ci pourraient venir en aide à d'autres humains.

---

55   Aird, Kishori, **L'ADN démystifié**, Québec, Institut Kishori inc., 2002, p. 43.

Non, ma peur de mourir n'est pas totalement partie. Non plus que ma peur de vivre, sans doute. Non, le travail n'est pas terminé. Je vous dirai même que le poème *Mon plus tendre je t'aime est un je m'aime* remonte à il y a plus de dix ans et qu'il ne m'a pas apporté la guérison miracle. Est-ce à dire que mes écritures n'ont servi à rien ? Sûrement pas ! Mais Dieu sait, et vous savez, que je partais de loin, d'aussi loin que Nathanaël et... tous les anges déchus. Non, je ne suis pas encore guérie dans mon corps physique. C'est un long processus pour moi, la guérison. Et je sais pourquoi, je crois. Je suis incapable de fonctionner avec la foi du charbonnier. Dans mon cas, la déprogrammation et la reprogrammation passent par l'énergie de la Conscience qui, elle, doit s'installer dans mes corps subtils d'abord et envoyer ensuite un « messager » aux cellules de mon corps plus dense. Pour les convaincre en quelque sorte de la nécessité du changement... Et c'est à cela que me sert l'écriture, à l'expansion de ma conscience. Je sais également que, dans mon cas, il y a souvent obstruction du mental, siège de mes doutes, et obstruction du corps astral inférieur, siège de mes peurs primaires. Le processus est donc plus long. Selon ma thérapeute et ses méthodes d'investigation, la conscientisation de mes corps subtils est quasi achevée et elle descend lentement dans mon corps physique. Il y a de l'espoir !

Non, je ne suis pas encore guérie dans ma densité, mais je sais que mon âme, elle, se porte bien, très bien. Elle se porte de mieux en mieux, à vrai dire, et ça, je le dois à l'écriture et à ma démarche de thérapie qui, avec mes lectures, sont les instruments de ma recherche spirituelle. Le retour à Soi, je le sais, est pour moi en voie de réalisation. J'ose croire que ce sera pour cette vie. Mais, s'il me fallait attendre et passer encore une fois par la mort pour trouver la guérison, si c'était là mon Plan divin à moi, je l'accepte et je m'abandonne à la Vie...

XI

La guérison dans la mort

La mort des autres me dérange encore. Bien égoïstement, je le sais. La mort de ceux que j'aime, surtout, me laisse dans le cœur un goût de rupture et d'abandon. Et il me faut faire appel à toute ma foi pour transmuter ce sentiment. Il y a six mois jour pour jour, un matin de juillet, mourait Odette, une thérapeute en médecine énergétique qui m'a aidée il y a dix ans à me sortir de mon traumatisme de secte. Dans mes Lettres ouvertes, je parle d'elle sous l'initiale O et je la cite à quelques reprises. Je lui dois beaucoup.

Odette était pour moi plus qu'une thérapeute. Elle était une amie, une complice de plusieurs vies, une autre sœur d'âme mise sur ma route pour m'accompagner dans mon cheminement. Un an après le décès de ma sœur Solange, de ma grande, j'ai donc dû faire face à un nouveau deuil. Un deuil fait de peine, de nostalgie et d'un peu de révolte. Les pourquoi, une fois de plus, me taraudaient le cerveau.

Pourquoi, après les grandes sœurs, les mères et les grands-mères, pourquoi les guérisseuses meurent-elles ? Et pourquoi meurent-elles dans de si atroces souffrances, le plus souvent ? Je n'ai pas encore de réponse à ça, mais j'ai adressé mes questions et mes questionnements directement à Odette, dans un poème que je lui ai dédié à l'occasion du rituel funéraire qu'elle avait elle-même planifié avant sa mort. Je vous offre ce poème en guise d'introduction au chapitre *La guérison dans la mort*.

À toi Odette, mon amie, ma sœur...

Odette, mon amie
Odette, ma sœur
Odette, ma complice de tant de vies
Pourquoi, dis-moi
Pourquoi ?...

Pourquoi fallait-il que tu partes ?
Que tu partes si tôt et... si tard tout à la fois...
Pourquoi fallait-il que tu souffres
si profondément, si intensément, et si longuement ?
Et d'abord, pourquoi fallait-il que tu sois malade
si malade, dans ton corps
et que tes cellules refusent la guérison ?
Toi, la guérisseuse de terrain et de vocation...

Pourquoi fallait-il que tu laisses
ceux qui t'aiment et que tu aimes ?
Ceux qui comptaient sur toi
et ceux qui comptaient pour toi...
Pourquoi fallait-il que tu te détaches de tout
des tiens, de ton centre, de ton école, de ton oeuvre, de ta vie ?...
Au nom de quelle mission, de quel karma, de quel contrat ?
Qu'as-tu donc à nous apprendre en partant ?
Toi, l'enseignante de sang...

Jadis, c'était toi qui répondais à mes pourquoi
et qui m'aidais à chasser mes peurs
Toi, la thérapeute de cœur
de passion et de foi...
Et les réponses, tu les avais toutes, ou presque
que tu agrémentais d'un petit schéma parfois
Quelques traits, quelques spirales, quelques flèches
Et voilà, j'avais compris, un point c'est tout !
C'était simple et lumineux tout à la fois
Comme toi...

Aujourd'hui, je reste seule avec mes pourquoi à la dérive...
Et j'ai bien envie de t'en vouloir un peu
Oh, pas de te bouder, pas de t'engueuler
Juste de t'en vouloir un tout petit peu
au creux de mon cœur
du creux de ma peur...
Des pourquoi, c'est lourd à porter, tu sais
toute seule...

Aujourd'hui, je reste seule avec mes poèmes en suspens...
et mes histoires que tu aimais tant
et mes romans en sursis dans mon ventre d'écrivaine...
Aujourd'hui, j'ai bien envie d'entrer dans le silence, pour longtemps
Avec mes brouillons que tu ne liras plus
Et mes espoirs que tu ne partageras plus...
Des mots, des rêves, c'est lourd à porter, tu sais
toute seule...

Oh, je sais bien que je ne suis pas seule
Mais aujourd'hui, je me sens seule...

Aujourd'hui, même si je sais que la mort n'existe pas
que la séparation est un leurre
que nous sommes uns, dans le Tout, à jamais...
Aujourd'hui, même si je sais que tu es là, tout près
sur l'autre rive, de l'autre côté du rêve
Et que tu as choisi ce chemin-là de guérison...
Aujourd'hui, j'ai bien envie de prendre congé de foi, d'espérance et de joie
Demain... demain je recommencerai...
Mais aujourd'hui, j'ai de la peine, c'est tout !
Et je n'ai qu'une envie
te pleurer et te dire que je t'aime !
Toi, l'amie, la sœur, à jamais...

Au delà de l'expression de mon amitié, de ma peine et de ma colère, c'est la recherche du sens qui fonde ce poème. Le sens de la mort, le pourquoi de la mort. Et je crois que le sens est tout entier contenu dans ce vers : **Et que tu as choisi ce chemin-là de guérison...** J'aimerais revenir avec vous sur ce vers. Auriez-vous moins peur de la mort si vous saviez qu'elle est un chemin de guérison ? Mais d'abord, croyez-vous que l'on puisse guérir en mourant ? La croyance populaire veut que la mort soit l'ultime échec de la guérison, l'ultime échec de la vie. La croyance médicale aussi. D'où les pratiques d'acharnement thérapeutique. D'où la résistance des mourants, la plupart du temps, jusqu'à ce que le corps devienne une coquille rêche, une prison pour l'âme. Et d'où la peur, assurément...

Pourtant, ceux qui accompagnent ou qui ont accompagné des mourants témoignent de guérisons spectaculaires au seuil de la mort. Ils travaillent ou ont travaillé eux-mêmes et contribué à ces guérisons. Je pense à Elizabeth Kübler-Ross, à Marie de Hennezel, à Daniel Meurois et Anne Givaudan, à Lise Thouin et à combien d'autres qui, souvent, oeuvrent dans l'ombre et nous livrent presque à voix basse leur témoignage. Nous parlons évidemment ici de guérison spirituelle. À ce stade, l'âme, l'élément subtil et immortel de l'être, est l'élément à guérir. Même quand on cherche la guérison du corps d'ailleurs, vous vous en doutez, c'est par l'âme qu'il faut passer. Cependant, dans la mort, la guérison de l'âme est essentielle. Pour la suite des choses...

Mais qu'est-ce que la guérison dans la mort ? On sait déjà qu'après la mort, les parties plus denses de l'être se décomposent et que les parties plus subtiles doivent passer par une phase de régénérescence de leurs cellules subtiles. Il s'agit d'une phase plus ou moins longue selon l'état de conscience de la personne décédée et la rapidité de son ouverture. On sait aussi que la guérison dans la mort peut commencer avant la mort et diminuer d'autant la convalescence dans l'après-vie. On sait même que l'acte de mourir peut lui-même déclencher une guérison spontanée, que tout est affaire d'ouverture et d'élargissement de la conscience. Mais sait-on ce qu'est vraiment la guérison dans la mort ? Est-elle possible pour tous ? J'aimerais explorer avec vous quelques exemples et vous faire part de mes découvertes.

Selon mon ami Ghislain, guérir dans la mort, c'est mourir avec la conscience du Plan divin. Et y trouver sa place, je suppose... Et s'y fondre. Il ajoute que c'est aussi saisir l'Essence de Dieu. Ce qui, pour moi, est la même chose... J'aime bien cette approche. Je pense à Nathanaël qui traînait son boulet de vie en vie parce qu'il n'avait jamais réussi à comprendre ce qu'il faisait sur terre et qui, par conséquent, ne réussissait jamais à lâcher prise, à se reconnaître et à se pardonner. Eh bien, la mort, qui constitue un arrêt obligatoire et qui exige l'ultime abandon, est un moment privilégié pour rompre avec le mental, entrer en expansion de conscience, se resituer dans le Plan et recontacter l'Essence divine. C'est dans la mort que Nathanaël fait ses plus grandes prises de conscience, qu'il finit par saisir le sens de ses rendez-vous terrestres. C'est dans la mort qu'il accueille le plus facilement l'Énergie christique. L'Énergie qui lui répète : « Monte vers qui tu es vraiment ! »[56] Et lors de sa dernière incarnation, c'est dans la mort qu'il retrouve ses ailes et se réconcilie avec l'Esprit. Dommage qu'il faille passer par la mort pour saisir le Plan et l'Essence de Dieu, mais il semble que nous en soyons encore là.

Odette, elle, semble expérimenter dans la mort une forme de guérison éminemment fondée sur l'abandon. Ce dont elle avait bien besoin et ce dont toutes les âmes ont besoin. Avant même son décès, alors qu'elle était dans le coma et en expansion de conscience, elle a tenté de communiquer avec moi à plusieurs reprises. Pour répondre à mes pourquoi, peut-être… J'ai finalement accepté le contact et nous avons échangé, par le biais de l'écriture spontanée, comme toujours. Elle m'a dit d'entrée de jeu : « Je veux que tu saches que je pars guérie. » Et, quand je lui ai demandé ce que c'était pour elle que de guérir en mourant, elle m'a répondu ceci :

> *Pour moi, c'est lâcher prise sur la matière, sur la vie telle que je l'ai vécue, sur ma volonté de contrôle. C'est accepter de quitter ceux que j'aime, ce que j'ai construit, ce que j'ai voulu réaliser en cette vie. C'est retrouver Dieu comme un bébé naissant. C'est accepter de me laisser couler dans mon enfant intérieur et dans le cosmos tout entier. C'est accepter de me laisser couler dans l'amour universel et inconditionnel, et de me fondre dans cet amour sans jugement, sans résistance et sans regret.*

C'est là un très beau témoignage d'abandon au divin. En tout cas, c'est un beau plan d'abandon… Odette, comme le dit mon poème, était une « enseignante de sang ». Je crois qu'elle a voulu, à l'instar de Morrie Schwarz, que sa mort serve aux autres. Elle m'a demandé de la citer dans mon livre et elle termine son message de la manière suivante :

---

56   Meurois-Givaudan, Daniel, **Ce clou que j'ai enfoncé**, op. cit., p. 265.

[...] Si je pouvais, par ma mort, initier un mouvement, initier un égrégore de lâcher-prise collectif et cosmique, je ne serai pas morte pour rien. Il faut que le monde arrête de forcer... pour mâter la matière, pour domestiquer la nature, pour dominer les autres, pour conquérir le pouvoir...

Et c'est sa dernière phrase qui me touche le plus. Je crois bien l'avoir déjà lue quelque part, mais Odette s'en est servi pour taper sur le clou :

Le seul pouvoir est le pouvoir sur soi et c'est le pouvoir d'abandon à Ce qui Est...

C'est-à-dire d'abandon à Dieu, d'abandon à sa propre divinité qui, elle, connaît le Plan et saura toujours nous y ramener. Odette, cependant, après six mois, ne semble toujours pas avoir franchi le tunnel qui conduit à l'au-delà. Elle m'a contactée à quelques reprises. Elle me dit qu'elle s'emploie à régler des dossiers, à boucler avec les âmes qu'elle a laissées sur la terre, à assurer la continuité de sa mission. Serait-elle en contradiction avec son propre plan de guérison dans la mort par le lâcher-prise ? Qui peut juger ? Il n'y a pas de vérité unique. Ce que je sais à coup sûr c'est qu'Odette a la compréhension du Plan, de son Plan divin, et qu'en ce sens-là, elle part guérie. Pour le reste, je peux comprendre qu'elle se soit donné le mandat de transmettre le Plan à ceux qui restent. C'est légitime et je crois que c'est bien ainsi.

Un exemple plus élaboré et fort convaincant de guérison dans la mort et même dans l'après-mort nous est donné dans *Chronique d'un départ*, que j'ai mentionné au début de cet ouvrage. Daniel Meurois et Anne Givaudan y racontent comment ils ont un jour été mandatés pour accompagner une âme au seuil de la mort. Une belle âme, mais prise au piège du mental, de la rancune et de la rancoeur. Élizabeth en voulait à son mari qui l'avait abandonnée pour une autre femme plusieurs années auparavant. Elle en gardait une amertume tenace qui l'avait fait se replier sur elle-même, développer un instinct de victime aigrie et tenter de s'en sortir en occultant le problème, en refoulant sa peine et sa colère. Et, comme le lui disent ses nouveaux amis : « On meurt souvent d'une rétention de quelque chose [...], rétention d'orgueil et de silence [...]. Rétention de douleur, de haine et de rancune, d'amour également. Tout ce qui ne passe pas à travers toi, tout ce que tu emprisonnes en toi et ne transformes pas dans l'athanor de ton cœur devient un poison que tu absorbes. »[57] La fermeture d'Élizabeth était donc sûrement à l'origine de son cancer, mais pour la suite, elle l'empêchait de partir en paix et de trouver le sens de sa vie et de sa mort.

Les deux accompagnateurs ont dû utiliser leur talent de voyageurs hors du corps pour rejoindre l'âme meurtrie d'Élizabeth mourante. Pendant cinq mois et avec beaucoup de compassion, ils s'adonnent avec elle à l'écoute, à la tendresse, à l'enseignement et à la guidance. Avec leur aide et graduellement, elle réussit à sortir de ses résistances, à parler de ses blessures, à se dépouiller du passé. Elle en vient à se reconnaître, à pardonner et à se pardonner. Elle en vient aussi à ne plus avoir peur et à comprendre le vrai sens de la mort. Sens qui m'apparaît très profond : « [...] par le mystère de la mort [...] une âme peut s'incarner un peu plus, c'est-à-dire accoucher d'elle-même... »[58] Or, c'est à un véritable accouchement que nous assistons tout au long de ce livre. Jusqu'à ce que l'héroïne, de l'autre côté de l'histoire, puisse dire à ses amis : « Oui, je suis réellement partie guérie, savez-vous ! »[59] Elizabeth a non seulement saisi le Plan. Elle s'inscrit dans ce Plan en se métamorphosant.

Plus merveilleux encore, Élizabeth, par son exemple et son témoignage, devient elle aussi une enseignante. Elle lève le voile sur le mourir... C'était d'ailleurs l'entente qu'elle avait conclue avec Anne et Daniel. « Nous voulons que tu éclaires le chemin pour toi-même et pour tous ceux que tu précèdes. »[60] Et elle y va avec toute son authenticité. Pendant les mois d'accompagnement, elle ne nous cache rien de ses hésitations, de ses peurs, de ses reculs. Elle nous révèle tout, aussi, de son cheminement, de son éveil, de son détachement. Après sa mort physique, elle témoigne de sa légèreté et de sa sérénité retrouvées : « Je vais... de soulagement en soulagement, de libération en

---

57   Meurois-Givaudan, Anne et Daniel, **Chronique d'un départ**, op. cit., p. 45.
58   Ibid., p. 91.
59   Ibid., p. 181.
60   Ibid., p. 46.

libération. »[61] Et, peu de temps après, elle exulte : « L'espoir... il n'y a plus que ce mot en moi. [...] Il m'enveloppe dans un tourbillon tellement doux. »[62] N'est-ce pas le plus bel antidote à la peur que l'espoir ? Et n'est-ce pas ce dont les vivants ont le plus besoin à l'heure de la mort ?

Plus tard, lorsqu'elle se sera détachée de la terre, qu'elle aura pris un peu d'altitude et qu'elle sera prête à faire le saut, elle nous décrit son passage dans le mystérieux tunnel : « [...] cette lumière... oh c'est Lui, c'est un Soleil qui vient me chercher ! [...] Écoutez-moi, écoutez-moi... Oh oui, il existe ce merveilleux couloir au bout duquel le Soleil nous attend. Je marche à travers lui... c'est si doux ! Si vous saviez, c'est un océan de blancheur qui m'appelle et il y a une voix si belle qui résonne à travers lui... Elle prononce mon nom sans cesse, sans cesse. Oh, mon Dieu... et il me semble la connaître... depuis toujours. »[63] Quel splendide voyage « au pays où la lumière n'a pas d'ombre » ![64] Et quel émouvant retour chez soi !...

Anne et Daniel ont laissé leur amie à l'orée du jardin de son enfance. Là où elle s'était réfugiée auprès de sa mère pour les confidences. Là où elle reverra, pour les retrouvailles, ceux qui sont partis avant elle. Là où elle dormira d'un long sommeil réparateur. Et là où elle fera le bilan de sa vie. Elle était belle et rayonnante. Il faut savoir que, retourné au monde subtil, le corps de lumière a encore besoin d'une apparence de densité. Elizabeth s'est donné, par la pensée, un corps guéri et épanoui qui reflète son état intérieur. L'âme sent aussi le besoin de retrouver son appartenance, de faire un retour sur sa vie terrestre et de se reposer. Elizabeth s'est créé, toujours par la pensée, des espaces à la mesure de ses besoins et de ses souvenirs. « C'est l'état de tes pensées qui entretient le passé et recrée tous les décors de ta vie sur terre », lui apprend Anita, son amie d'enfance décédée depuis plusieurs années.[65] « Nous nous déplaçons en nous-même », lui avait dit sa mère un peu plus tôt.[66] L'allure physique et les décors changeront au rythme du processus de détachement et d'épuration.

---

61   Ibid., p. 158.
62   Ibid., p. 165.
63   Ibid., p. 169.
64   Ibid., p. 173.
65   Ibid., p. 178.
66   Ibid., p. 171.

C'est-à-dire au gré des changements de niveaux de conscience. Dans le cas d'Élizabeth, ces changements s'avèrent très rapides et la guérison de l'âme suit le même rythme.

Nos accompagnateurs croyaient ne plus revoir leur protégée après l'épisode du jardin. Mais, quelques semaines plus tard, elle revient frapper à la porte de leur cœur. Elle est de plus en plus lumineuse: « Je voulais vous dire... Je voulais vous dire afin que partir n'effraie plus jamais... »[67] Et elle leur fait part de ses découvertes et de ses prises de conscience. Elle découvre que l'éveil n'est jamais acquis de façon définitive et qu'il faut toujours élargir sa conscience, même au ciel. Elle découvre que le purgatoire, l'enfer et même le ciel ne sont pas des lieux mais des espaces intérieurs, des états d'être, et que le paradis pourrait se vivre sur la terre si on le laissait croître en nous. Elle en arrive aussi très vite à une nouvelle compréhension de Dieu : « Élizabeth se sent une cellule intelligente et aimante d'un grand être qu'on appelle l'Humanité et qui est lui-même une cellule d'un Être infiniment plus grand que l'on peut appeler Dieu... »[68] Et ce Dieu qu'elle découvre semble bien au delà des dogmes et des guerres de religions... Quant à la réincarnation, elle en témoigne comme d'une loi naturelle. Elle voit d'ailleurs régulièrement des êtres et même de ses amis redescendre sur terre. Mais son message d'espoir le plus percutant est peut-être le suivant : « Je commence seulement à admettre qu'un corps sur terre est le plus beau cadeau qu'une âme puisse souhaiter. »[69] Étonnante affirmation pour une âme qui habitait si difficilement son corps de terre, il y a si peu de temps encore. Et preuve d'une fulgurante compréhension du Plan divin !...

Évidemment, Élizabeth a eu la chance d'avoir des bons Samaritains pour la guider dans la mort. Toutes les âmes n'ont pas cette aide et certaines mettent beaucoup de temps à trouver la *lumière au bout du tunnel*. J'aimerais bien être accompagnée de cette façon aux portes de la mort. Par une présence subtile et tendre qui tiendra la main de mon âme et soufflera sur mes peurs. Je place la commande dès aujourd'hui... auprès de Clarisse peut-être... Cependant, je sais que c'est la conscience que l'on acquiert sur terre qui peut le plus

---

67   Ibid., p. 173.
68   Ibid., p. 181.
69   Ibid., p. 183.

sûrement nous préparer à la mort. *Chronique d'un départ* aura été pour moi un enseignant fort précieux et il pourrait l'être pour vous, si vous le désirez.

Ce livre m'éclaire en tout cas sur un point. « Tu as peur de la mort ou peur de mourir ? »[70] demandent Anne et Daniel à Élizabeth au moment où celle-ci exprime, pour la première fois, sa peur. Et ils font pour elle une distinction qui m'est très utile. Je constate en effet que ma peur à moi n'est pas celle du changement dans la mort, mais plutôt celle de l'incertitude devant le mourir. L'incertitude du mental qui cherche encore et toujours le « mode d'emploi »... Mais je sais que là aussi, ma Clarisse intérieure saura me guider dans l'abandon à Ce qui Est. Et... n'avons-nous pas tous une Clarisse intérieure ?...

J'aimerais vous donner un dernier exemple de guérison dans la mort qui m'a particulièrement touchée et étonnée. Il s'agit de la mort de Gitta Mallasz, cette fabuleuse vieille dame, décédée en 1992, que j'ai citée plus haut et dont l'histoire nous est racontée par Bernard Montaud dans *La vie et la mort de Gitta Mallasz*.[71] On ne pouvait trouver pour Gitta meilleur biographe que Bernard, qui a vécu à ses côtés pendant près de dix ans, qui a été à la fois son protecteur, son confident et son disciple et qui, aidé de sa femme Patricia et de quelques amis, l'a patiemment et amoureusement accompagnée dans le mourir. Bernard et Gitta étaient des âmes complices et formaient ce que les deux se plaisaient à appeler un « couple spirituel ».

L'aventure qui a rendu universellement célèbre Gitta Mallasz a commencé, je le rappelle, pendant la deuxième guerre mondiale, en 1943 plus précisément, pendant que sévissaient en Europe le nazisme et l'antisémitisme. À Budaliget, un petit village de Hongrie en banlieue de Budapest, quatre amis avaient choisi d'installer leur atelier de décoration. Gitta était issue d'une famille catholique. Les autres, Lili, Hanna et Joseph son époux, étaient juifs, mais personne n'était pratiquant. Ils étaient tous, cependant, des chercheurs de sens et le soir, après leur travail, ils avaient pris l'habitude de discuter de sujets chauds et profonds tel le sens de la guerre, de la haine raciale, du mensonge. Puis, du sens de leur vie et de la façon de faire naître en

---

70   Ibid., p. 44.
71   Montaud, Bernard et al., **La vie et la mort de Gitta Mallasz**, Paris, Dervy, 2002, 328 p.

eux le véritable « homme nouveau »[72]. Un soir, de la bouche d'Hanna, sortirent tout à coup ces paroles : « Attention, ce n'est plus moi qui parle ! »[73] Et le message était une dure leçon adressée à Gitta. S'installèrent alors ces fameux entretiens avec une Force de lumière éblouissante qu'on identifia sur le coup comme un Messager divin ou un Maître intérieur. Le nom d'Ange fut adopté beaucoup plus tard et le titre *Dialogues avec l'Ange* fut choisi par l'éditeur.

Pendant dix-sept mois, l'Ange répondra aux questions, enseignera, transformera le coeur et la vie de ces jeunes gens que Gitta qualifie de « complètement ordinaires ». Les paroles de l'Ange furent consignées dans des petits cahiers d'écoliers. Et c'est Gitta, la seule à avoir échappé à la déportation, aux camps de concentration et à la mort, qui aura le mandat de préserver les enseignements de l'Ange et de les faire connaître au monde entier. Occupée à survivre et à protéger sa famille du régime communiste qui avait succédé en Hongrie au régime nazi, elle mettra plus de trente ans à remplir son engagement. C'est en France et en français, après un long travail de traduction avec son mari Laci, qu'elle réussira à publier, en 1976, la version intégrale des Dialogues.

Gitta consacrera les quinze années suivantes, c'est-à-dire le reste de son existence, au service de ces Dialogues. Pour rendre le message plus accessible, elle donnera de nombreuses conférences, répondra à un abondant courrier, publiera trois petits volumes explicatifs où elle livre son expérience personnelle des Dialogues[74] et un récit plus personnel encore : *Petits dialogues d'hier et d'aujourd'hui*[75]. Pour rendre le message plus universel, elle assurera la traduction et la publication de l'oeuvre dans une douzaine de langues. Et, pour garantir la pérennité du message, elle mettra ses dernières énergies à protéger les droits des Dialogues. Dans les quelques mois précédant sa mort, elle tiendra même un journal intime qui non seulement nous apporte plus de précisions sur le sens des enseignements de l'Ange,

---

72   Par opposition à « l'homme nouveau » du Mein Kampf d'Hitler, qui désignait l'homme supérieur issu de la race pure (purifiée de la manière que l'on sait) et également l'homme fort, l'homme invincible et cruel qui possédait l'art du pouvoir et de la domination.
73   Montaud, Bernard et al., **La vie et la mort de Gitta Mallasz**, op. cit., p. 33.
74   Publiés chez Aubier: **Dialogues tels que je les ai vécus** (1984); **Les dialogues ou l'enfant né sans parents** (1986); **Les dialogues ou le saut dans l'inconnu** (1989).
75   Mallasz, Gitta, **Petits dialogues d'hier et d'aujourd'hui**, Paris, Aubier, 1991, 158 p.

mais qui nous révèle comment elle intègre elle-même, encore plus profondément, ces enseignements dans son quotidien et dans son corps. Elle semble alors en fusion constante avec l'Ange et en pleine mutation cellulaire. « Mais qu'est-ce que vous croyez que c'est, comprendre son Ange, lance-t-elle à ses amis ? [...] C'est une compréhension cellulaire. »[76] L'Ange aurait donc à voir avec l'ADN humain ? Voyez comme tout se recoupe ! Nous y reviendrons...

Puis, arrive mai 1992 et l'annonce de Gitta à Bernard : « Tu sais mon vieux, je vais envoyer une lettre à Christine V.R. : je ne pourrai pas la recevoir jeudi de la semaine prochaine. »[77] Elle ne se disait pas malade, seulement fatiguée. Mais elle savait qu'elle allait mourir. Trois fois déjà, elle avait repoussé la mort pour compléter sa mission, sa « Tâche » comme elle aimait l'appeler. « Quel pouvoir étonnant a la Tâche, écrit-elle dans son journal. Elle a même le pouvoir de faire reculer ma mort ! »[78] Cette fois, ce sera la bonne. « Je vais rejoindre ma patrie »[79], annonce-t-elle à ses amis. C'est aussi simple que ça... Montaud dira d'elle : « Gitta Mallasz n'est pas morte de maladie, mais parce qu'elle avait tout fini. »[80] Et la mort qu'elle choisit, aimante, consciente, intense, fait l'envie de tous ceux qui la connaissent. « [...] cette mort, je la veux ! » s'exclame Montaud.[81] Et il nous propose Gitta comme modèle : « [...] se peut-il qu'elle soit morte en nous indiquant la voie du milieu ? Non pas la terrible agonie des vieillards légumes, ni la fin divine d'une grande sainte, mais une mort praticable par tous, une mort à notre portée, quand le vrai surnaturel consiste à vivre l'ordinaire jusqu'à son comble. » Puis il conclut : « on peut mourir VIVANT. »[82] Et croyez-moi, il n'y a pas là de paradoxe...

Gitta est morte vivante et c'est en cela que sa mort témoigne d'une guérison aussi profonde. Pourtant, tout ne fut pas si facile. Montaud nous fait part de trois épreuves majeures que Gitta a dû traverser avant de mourir. Trois épreuves qui se sont transformées bien sûr en trois victoires. Il s'agit de sa victoire sur la pudeur, de

76   Montaud, Bernard et al., **La vie et la mort de Gitta Mallasz**, op. cit., p. 45.
77   Ibid., p. 173.
78   Ibid., p. 141.
79   Ibid., p. 198.
80   Ibid., p. 192.
81   Ibid., p. 151.
82   Ibid., p. 149.

son acceptation de la tendresse et de son détachement de la Terre. Vous me direz que tous les mourants, ou presque, font face aux mêmes épreuves. C'est vrai, mais Gitta accomplit tout ça en huit jours et elle le fait à sa façon à elle, dans l'abandon et dans la joie. C'est-à-dire à la façon d'un maître !

Vous me permettrez d'apporter quelques précisions. Pour vaincre sa pudeur, Gitta a recours à son talent de pince-sans-rire. Quand elle commence à perdre ses forces et son autonomie, c'est avec un sourire coquin qu'elle informe ses amis de sa « diminution géographique ». Pas de problème ! Elle n'a qu'à utiliser un « fauteuil des haltes » pour la pause et consentir à aller moins vite... Elle voit même le côté positif de la situation. Plus l'espace se rétrécit, laisse-t-elle entendre, plus la pensée s'élargit et plus les mots perdent leurs limites. Ce sera donc plus facile d'écrire ! Plus tard, quand les étouffements et les douleurs thoraciques entrent en scène, elle réclame de « l'amour en comprimés » pour être soulagée. Mais jamais pour être prolongée ! « Je veux être à l'heure. » lance-t-elle gaiement.[83] Et, quand elle prend le lit et que même le pot de chambre lui est devenu impraticable, elle demande de l'aide et, malgré sa gêne, s'abandonne à ses amis dans la plus totale nudité, mais dans un humour qui ne se dément jamais. Évidemment, le « cacarella » des agonisants, elle ne peut éviter ça... C'est alors qu'elle décrète « sacré » le pipi-caca que Bernard doit nettoyer lui-même jusqu'à la fin. Par l'humour, Gitta exorcise sa pudeur, dédramatise son état et met les autres à l'aise. Par l'abandon dans la joie, elle transfigure le quotidien. Ce qu'elle appelle si simplement « l'ordinaire ».

Sa victoire sur la froideur est tout aussi éclatante. Gitta était issue d'un père militaire et d'une mère pour le moins distante. Jeune, elle n'avait jamais connu la tendresse. Elle avait des allures de garçon manqué et s'adonnait à des sports d'endurance, tels l'alpinisme et la natation. Elle fut même championne de plongeon à l'adolescence et elle avoue avoir maltraité son corps pour l'endurcir et l'amener à la victoire. Tout pour être la meilleure et pour être reconnue par sa famille, à cette époque ! Pendant la guerre, elle a travaillé à se faire une carapace pour supporter la violence, et à devenir forte pour soutenir les autres. Même dans le mariage, l'amour oui, la complicité et

---

83   Ibid., p. 204.

la compassion oui, mais le romantisme non !... Bernard la décrit comme une « infirme de la tendresse » et nous confie que le seul geste affectueux qu'elle lui ait jamais consenti, à lui, était la tape dans le dos à lui décrocher une vertèbre. Devenue impotente cependant, elle s'ouvre à la tendresse. Elle accepte d'être touchée, massée, bichonnée. Elle en vient même à roucouler de plaisir, à la manière de Morrie Schwarz, et elle en redemande. Cet abandon aux gestes physiques d'affection complète son apprentissage du recevoir et la rend plus femme. Bernard constate avec nous qu'il n'y a vraiment pas d'âge pour apprendre...

Plus ardu est son processus de détachement de la terre. Je devrais dire des souffrances de la terre. Gitta était écologiste par symbiose avec la terre. « Je sens tout l'univers comme si c'était mon corps », avait-elle déjà confié à ses amis.[84] Et ce qu'elle ressent dans son corps, ce sont les sévices que l'homme inflige à la planète. Pendant son agonie, la symbiose se resserre et elle ressent avec plus d'acuité encore les souffrances de la terre. « LA TERRE EST MOURANTE. LA TERRE AGONISE EN MOI. »[85] Particulièrement sensible au réchauffement climatique, elle abhorre la sécheresse et se préoccupe de la soif des plantes. On aurait dit qu'elle avait soif avec et pour la terre et, alors qu'elle ne mange plus, elle boit sans cesse. Les seules belles journées sont, pour elle, celles où il pleut. Et même lorsqu'il pleut, elle réclame qu'on arrose les géraniums de son jardin : « La terre a soif, vous savez, comme moi. Il faut arroser mes géraniums ! »[86] Cela devient une préoccupation constante, voire obsessive. Est-ce pour se distraire de sa propre mort que Gitta se préoccupe ainsi de la survie de ses plantes ? Bernard le croit en tout cas. Un soir, deux jours avant la fin, il rentre à la maison fourbu et, constatant que Gitta avait toute la journée harcelé Patricia pour qu'elle transplante ses géraniums, il décide de la brusquer : « Fous-nous la paix avec ton histoire de géraniums ! [...] Tu ne penses pas que tu as autre chose à vivre en ce moment ? »[87] Gitta encaisse le coup, puis se détend. « Tu as raison, mon vieux. J'ai autre chose à faire. »[88] Cette scène marque la fin de toute résistance terrestre de sa part...

---

84   Ibid., p. 20.
85   Ibid., p. 184.
86   Ibid., p. 205.
87   Ibid., p. 229.
88   Idem.

Ce qui permet à Gitta de se servir ainsi de toutes les étapes du mourir pour guérir, c'est-à-dire pour grandir, pour compléter tout ce qui n'était pas encore achevé de sa transformation intérieure, c'est sans contredit sa conscience du Plan divin. Plan qu'elle appelle tantôt le Scénario, tantôt le Programme, tantôt le Grand Jeu. C'est cette même conscience qui lui permet de supporter la souffrance, mieux encore de s'offrir à elle, mains ouvertes, pour la dépasser. « À quoi bon lutter ! C'EST PROGRAMMÉ. […] SI JE VIS LE PROGRAMME, TOUT EST SUPPORTABLE. »[89] Gitta est tellement à l'écoute du Plan, qu'elle conçoit et accepte la souffrance comme faisant partie du service, de la Tâche. « Je tousse et je suffoque POUR SERVIR et cela, c'est TOUT. »[90] Elle avait déjà expliqué : « Quand une souffrance sert de tremplin pour notre transformation en êtres plus conscients, cela fait aussi partie du service. »[91] Plus tard, elle soutient : « Mourir, c'est accepter de ne plus s'appartenir […] »[92] Et, tout près de la fin, elle dira : « ME DONNER AU SCÉNARIO, VOILÀ TOUT CE QU'IL ME RESTE. »[93] Et ce don ultime est sacré pour elle.

Elle invite aussi ses amis à jouer le Grand Jeu jusqu'au bout. « N'accompagnez pas ma mort, mais jouez dans la vie du Scénario ! »[94] C'est le Scénario qui donne le sens. Elle sait, par exemple, que son agonie se prolonge plus longtemps qu'il ne faut et que c'est Bernard qui la retient sur terre. Mais quand Bernard prend conscience de cette dépendance et lui avoue que c'est lui qui s'accroche à elle, elle répond : « C'est le Grand Jeu du sens. […] Quand il n'y aura plus de sens, je craquerai. »[95] Mais où est donc, me direz-vous, le sens de cette souffrance qui s'étire et s'étire ? Gitta avait encore, je crois, de l'amour et une énergie nouvelle à partager avec son fils spirituel. Bernard parle de « contagion de lumière » et de « transfusion de paix » qui s'amplifient chaque jour. Et c'est au plan cellulaire qu'il est touché lui aussi, qu'il est contaminé. C'est dans son ADN profond qu'il est transformé et entraîné dans le « GRAND LAISSER FAIRE »[96] de la Vie, c'est-à-dire dans l'abandon à ce qui Est, comme le disait Odette.

89   Ibid., p. 236-237.
90   Ibid., p. 260.
91   Ibid., p. 62.
92   Ibid., p. 260.
93   Ibid., p. 239.
94   Idem.
95   Ibid., p. 242-243.
96   Ibid., p. 265.

Gitta s'abandonne au Jeu sacré au point que, pendant ses dernières quarante-huit heures, alors que ses forces se sont retirées et qu'elle a déjà un pied dans l'au-delà, elle trouve le souffle de livrer ses plus beaux enseignements, ses propres dialogues. Il ne s'agit plus ici de la scribe des dialogues d'Hanna. Selon Bernard, « [...] elle était devenue la parole vivante des Dialogues. »[97] En fait, Gitta est habitée. À ce stade, je crois qu'elle a cédé son corps à l'Ange et qu'elle vibre déjà à une fréquence céleste. C'est donc son Ange qui passe à travers sa voix. C'est le même état d'abandon au sacré et le désir de fusion avec le Ciel qui lui permet de voir son Ange à plusieurs reprises à la toute fin et de le rejoindre, transfigurée, dans la mort. Cela se passe dans la nuit du 24 au 25 mai 1992. Gitta est guérie. Elle est allée rejoindre sa patrie. Elle a accompli sa Tâche...

La mort de Gitta Mallasz n'est pas une mort tout à fait « ordinaire », comme l'affirme Bernard Montaud, non plus que la « voie du milieu ». À mon avis, il s'agit d'une mort exceptionnelle, extrême je dirais, dans la passion du divin et l'abandon à son Ange. Vous aurez compris que l'Ange de Gitta est son Moi supérieur ou son Dieu intérieur. Son Esprit, comme j'appelle depuis le début cette dimension de l'être, la dimension divine... Gitta, dans la mort, s'est réunifiée. Elle s'est fusionnée à sa « moitié lumière », un autre nom par lequel elle désigne son Ange. Ce faisant, elle a reprogrammé son ADN. Elle a réalisé en elle « l'homme nouveau » auquel elle aspirait tant. Guérir dans la mort est accessible à tous, j'en suis sûre. Mais Gitta, en se réunifiant si tôt, au moment même de sa mort, a pris de l'avance sur l'au-delà. Elle a réalisé un important saut quantique et je l'envie...

Cependant, malgré toute l'admiration, tout le respect et tout l'amour que je voue à cette grande dame, il y a un bémol qui s'impose à mon esprit et qui m'empêche de dire avec Montaud : « Cette mort, je la veux ! » Je reste perplexe devant la somme de souffrances que Gitta a dû supporter et sublimer pour arriver à la réunification. Et je vous entends, vous aussi, penser : « Une autre qui a fait le choix de la porte étroite, de la voie difficile, à la manière judéo-chrétienne et à la manière de presque tous les humains. Est-ce nécessaire ? Devons-nous tous passer par la déchéance physique pour guérir notre âme et pour servir ? La souffrance est-elle une loi universelle ?... »

---

97 Ibid., p. 148.

Vous vous en souviendrez, les auteurs de *Chronique d'un départ* soutenaient que la souffrance est le résultat d'une erreur, d'un dérapage quelque part dans le Plan, ou plutôt dans l'exécution du Plan. La question vaut d'être approfondie. Nous y reviendrons. Mais je peux déjà avancer une chose. La souffrance est une voie. Elle semble une voie généralisée sur la terre actuellement. Mais elle n'est pas une fatalité. Elle n'est pas une loi génétique éternelle, j'en suis convaincue.

Savez-vous qu'il existe sur la planète aujourd'hui des humains qui ont conservé le secret de la santé et qui meurent sans passer par la maladie, la dégénérescence et la souffrance ? Et je ne parle pas ici de thaumaturges, d'avatars, ni même de maîtres ascensionnés qui nous visitent dans des corps transmutés. Je pense à une tribu d'aborigènes australiens dont l'histoire nous est racontée par Marlo Morgan dans un livre qui s'appelle *Message des hommes vrais au monde mutant*[98]. L'auteure, une Américaine, a vécu dans le désert avec cette tribu fascinante pendant plusieurs mois. Elle a reçu du « Vrai Peuple » des enseignements privilégiés et vécu une initiation peu commune.

Elle raconte que les membres de ce peuple croient au libre choix et qu'ils mettent fin à leur vie, le plus naturellement du monde, quand ils sentent que leur pèlerinage sur terre est terminé ou qu'ils ont envie de « rejoindre l'éternité ». Cela se passe généralement à l'âge de cent vingt ou de cent trente ans. L'aîné désireux de partir cesse alors de s'alimenter et s'assoit dehors. Puis, il demande aux siens une cérémonie spéciale pour célébrer sa vie. Au cours de la cérémonie, les membres du clan prennent le vieillard dans leurs bras et lui répètent la phrase qui l'avait déjà accueilli à sa naissance : « Nous t'aimons et nous t'aiderons pendant le voyage. » Une fois le rituel terminé, l'aîné confiant et serein « s'assied dans le sable, bloque ses systèmes corporels et, en moins de deux minutes, c'est fini. »[99] N'est-ce pas merveilleux de mourir ainsi, tout simplement, comme si on coupait le courant, comme si on éteignait la lumière ! Qu'en pensez-vous ? C'est peut-être ça la troisième voie, la voie entre le suicide stoïque et la résignation à la déglingue. Pour ma part, si je dois mourir et si j'ai le choix, et je sais que je l'ai, c'est cette mort que je veux ! Une

98 Morgan, Marlo, **Message des hommes vrais au monde mutant**, Paris, Éditions J'ai lu, 1997, 247 p.
99 Ibid., p. 199.

mort désirée, naturelle, rapide et non violente.[100]

Évidemment, les êtres qui pratiquent ce genre de mort sont des initiés, des héritiers d'une civilisation vieille de cinquante mille ans et qui possèdent d'autres pouvoirs tels ceux de télépathie, de voyance, d'autoguérison, de matérialisation par la pensée, etc. Seraient-ils d'une autre lignée génétique que la nôtre ? Auraient-ils évité la chute vibratoire, la dégradation de leur ADN, la perte de leurs dons sacrés ? Pourquoi ces aborigènes se nomment-ils les « hommes vrais » ou le « Vrai Peuple » et pourquoi nous surnomment-ils les « mutants » (le mot *mutant* prenant, dans le contexte, une connotation péjorative du genre *déviant*) ? N'est-ce pas parce qu'eux sont restés fidèles à leur Plan d'origine et que nous nous sommes détournés du nôtre, que nous l'avons occulté ou trahi ? J'aimerais avoir les réponses à ces questions. Je ne les ai pas. Mais je suis sûre que, oui, il est possible de guérir notre âme et de mourir sans souffrir. Je sais que ce n'est pas le cas des trois personnes dont je viens de décrire la guérison dans la mort. Ces trois femmes, hors du commun, ont obéi à une longue tradition de salut par la souffrance et je respecte leur chemin de guérison, comme je respecte celui de ma soeur aînée, de ma lignée, et de l'humanité souffrante tout entière.[101] Mais je persiste à croire que le temps vient où la Vie trouvera d'autres avenues pour se purifier, s'épanouir et se renouveler. Et j'ai bien hâte...

---

100 Dans un deuxième livre sur le même sujet, Madame Morgan donne plus de détails sur la méthode utilisée par l'aîné qui veut partir. Après s'être assis dehors, par terre, il agit d'abord mentalement sur ses centres vitaux (les chakras). Il abaisse ensuite la température de son corps, ralentit sa circulation sanguine et son rythme cardiaque. Puis, il utilise une technique traditionnelle de respiration qui l'amène tout doucement dans la mort.

Morgan, Marlo, **Message en provenance de l'éternité**, Paris, Éditions J'ai lu, 1999, 311 p.

101 Je ne puis m'empêcher de citer in extremis un autre exemple. Celui de Christiane Singer, une auteure française réputée dont je viens tout juste de lire la dernière œuvre. Une sainte des temps modernes, pourrait-on dire, une martyre du cancer elle aussi, qui décrit, dans le journal de bord de ses six derniers mois de vie sur terre, la montée de son calvaire, mais surtout comment elle réussit à transcender la souffrance ou mieux, à la transmuter en expérience initiatique et à atteindre à travers elle l'ultime Joie, l'ultime Amour, c'est-à-dire l'illumination à la manière de Gitta Mallasz. Je reste béate devant ce témoignage et je m'incline devant la divinité en marche sur cette Terre des Hommes. À lire absolument : **Derniers fragments d'un long voyage**, Paris, Albin Michel, 2007.

J'allais clore ce chapitre sur la guérison dans et par la mort, mais l'Univers en a décidé autrement. Il a mis sur mon chemin un autre ouvrage lumineux qui me livre de nouvelles révélations et qui répond à quelques-unes de mes questions sur la mort. Je me suis dit qu'il répondrait peut-être aussi aux vôtres. Vous avez déjà compris, je suppose, l'usage que je fais de mes lectures spirituelles. Je lis ce qui est mis sur ma route. Les *coïncidences*, connaissez ?... Je digère ce que je lis, je l'incorpore à ce que je connais, à ce qui vient de mon vécu, de mes intuitions, de mes mémoires. Ça fait un joyeux cocktail ! Puis, je fais la synthèse et vulgarise, pour vous, l'information. Je crois que c'est ce que j'ai maintenant à faire dans la vie, témoigner de mon cheminement et rendre accessibles certaines connaissances sacrées. Et ce, beaucoup par l'écriture. C'est ma tâche... C'est mon Ange qui me l'a dit.

Mais revenons à ma plus récente lecture. Il s'agit de la dernière Conversation avec Dieu de Neale Donald Walsch, un livre sur la mort qui s'intitule *Retour à Dieu*[102] et qui répond à une multitude d'interrogations auxquelles nous n'obtenons généralement que peu de réponses. Cet ouvrage m'a plu et touchée parce qu'il ébranle, lui aussi, un certain nombre de mythes populaires et qu'il révèle l'ampleur que peut atteindre la guérison dans la mort. Je vous épargnerai les longs développements métaphysiques et les citations qui, je le sais, alourdissent le texte. Mais j'aimerais vous transmettre quelques éléments d'information sur la mort qui ajoutent à ceux que je vous ai déjà livrés et qui, parfois, les corrigent. Des révélations qui sous-tendent, il va sans dire, une autre vision des choses ou du Plan, qui nous montrent la mort vue d'En-Haut et qui la démystifient. Certaines vous choqueront peut-être, mais je fais confiance à votre ouverture...

Allons-y avec la question la plus terrifiante, celle de l'existence de l'enfer. Eh bien, les purs et durs seront déçus. Le Dieu de Neale Walsch affirme que l'enfer n'existe pas et que toutes les âmes trouvent la paix et le bonheur après la mort. Suffirait-il de mourir pour guérir ? Nous savons pourtant que nombre d'âmes partent dans l'angoisse et continuent d'angoisser après la mort, que certaines ne savent même pas où aller, que d'autres s'enlisent dans une espèce d'état catatonique dont elles ont beaucoup de mal à se libérer et que

---

102 Walsch, Neale Donald, **Retour à Dieu.** Une vie sans fin, Montréal, Ariane, 2006, 376 p.

la plupart mettent du temps à trouver la paix. Il faut comprendre ici que Dieu se situe dans le monde de l'absolu quand il affirme que l'enfer n'existe pas. Souvenons-nous d'Élisabeth qui disait, dans *Chronique d'un départ*, que l'enfer n'était pas un lieu, mais un « état d'être ». Même le pape Jean-Paul II a reconnu ce fait quelques années avant sa mort. Dieu va plus loin encore dans *Retour à Dieu*. Il explique que nous vivons dans le monde de la relativité. Un monde où la perception influe sur la réalité, croirez-vous ? Non ! Un monde où la perception **crée** la réalité. Alors là, ça change tout...

Il s'agit donc une fois de plus d'une affaire de croyances. La pensée crée, les auteurs spirituels n'arrêtent pas de nous le répéter sur tous les tons. Nous créons ce en quoi nous croyons. Nous créons par attraction et projection électromagnétique. Je reviendrai sur ce thème au dernier chapitre. Et c'est encore plus facile de créer après la mort, puisque l'au-delà est un champ d'énergie où toute pensée se manifeste dans l'instant. Par conséquent, les âmes qui croient qu'elles méritent l'enfer se créent leur propre enfer à partir de leur mémoire et de leurs émotions. On en revient toujours au vieux réflexe de culpabilité, à la Nathanaël, et aux mémoires cellulaires de la *faute originelle* à effacer par la souffrance. Il semble cependant que, même dans cet espace illusoire qu'est l'enfer, la situation ne soit pas si dramatique. Dieu nous dit que l'âme ne souffre pas véritablement, mais qu'elle se regarde souffrir. Que tout se passe au niveau du mental. Il soutient même que l'âme peut sortir à tout moment de sa « prison imaginaire » et qu'elle finit toujours par en sortir pour aller ailleurs.

Vous comprendrez donc que ce qui n'existe pas, c'est l'enfer de notre enfance, nous les plus de cinquante ans. C'est l'enfer espace créé par Dieu pour nous punir. C'est l'enfer qui brûle éternellement, même les corps pourtant devenus subtils. C'est le « Toujours-Jamais ! »[103] inscrit dans le tic-tac de la grande horloge destinée aux damnés, comme nous le promettait l'institutrice de mon école primaire quand j'avais cinq ans. Et je me souviens qu'à l'époque, l'image me faisait mal. Elle me terrifiait, me faisait frissonner. Cet enfer-là relève de la pure mythologie. Mais attention ! Le mythe est à l'origine de notre enfer mental décrit par Dieu. Nous créons notre enfer parce que le mythe véhiculé par notre culture religieuse s'est installé par program-

---

103   « Toujours brûler, jamais sortir ! »

mation dans nos cellules. Et il appert que le souvenir des mythes et des croyances a un pouvoir de conditionnement aussi grand sur l'ADN que le souvenir de la réalité, puisque l'inconscient ne fait pas la différence entre les deux. Cul-de-sac, me direz-vous ? On n'en sort pas ! Et s'il s'agissait, encore une fois, de guérir nos mémoires et de sortir du mental ? « Tu dois perdre la tête », dit Dieu à l'auteur qui semble sceptique.[104] Et s'il s'agissait de faire table rase de nos croyances, de repartir à neuf et d'aller ailleurs ?...

Le Dieu de Walsch fait le point sur une autre question qui préoccupe tout le monde, la question du suicide. Nous avons touché plus haut le problème du suicide des aînés et celui de l'euthanasie. Mais je ne me suis pas, moi-même, alors vraiment prononcée sur ces questions parce que je considère depuis longtemps que le suicide et l'euthanasie désirée relèvent, comme tout autre geste humain, du libre arbitre et parce que la liberté de choix est sacrée pour moi. Après la lecture de *Retour à Dieu*, ma conviction s'est raffermie. Dieu parle constamment du libre choix et de la responsabilité des hommes. Je crois cependant qu'il est temps de défaire certains mythes autour de ces choix de départ et d'en évaluer les effets réels et précis.

Il va de soi qu'au plan humain, le suicide, celui des jeunes en particulier, est troublant, voire dramatique. Il prend, chez nous et ailleurs, l'allure d'une pandémie. Il trahit une détresse psychologique sans fond. Il crée un vide douloureux et traumatisant pour les proches. Il constitue une perte pour la collectivité et témoigne d'un profond malaise de société, je dirais d'un échec de notre civilisation occidentale et moderne. Le suicide, je le reconnais, est socialement inacceptable et je crois que la société doit y voir. Mais j'aimerais ici, avec le Dieu de *Retour à Dieu*, me placer au plan divin et évaluer les conséquences que le suicide a sur l'âme du suicidé.

Selon Dieu, le suicide ne conduit l'âme ni en enfer, puisque l'enfer n'existe pas, ni à de lourdes conséquences karmiques, comme le veut la croyance générale. Ce qu'il a cependant comme conséquence logique, en plus de ne rien régler, c'est de laisser une vie inachevée, d'en arrêter l'accomplissement, c'est-à-dire de couper le programme avant la fin. Et comme le plan ou la mission de tout être humain

---

104   Walsch, Neale Donald, **Retour à Dieu.** Une vie sans fin, op. cit., p. 205.

doit s'accomplir, cela implique que l'âme devra revenir, assez rapidement, dans un corps physique et reprendre là où elle avait laissé. Afin de résoudre, bien sûr, les problèmes qu'elle a renoncé à résoudre dans son incarnation tronquée. Afin de se réaliser dans cette portion de son scénario d'évolution. Si l'on pouvait voir le suicide sous l'angle de la possibilité d'une deuxième chance, il nous apparaîtrait moins tragique et moins condamnable. Tout est affaire de point de vue.

Vous me direz toutefois que l'âme qui part en plein traumatisme émotif doit avoir beaucoup de mal, après la mort, à sortir de sa détresse et de son enfer mental. Il semble bien que ce soit généralement vrai. Le récent livre d'Anne Givaudan, *La rupture de contrat*[105], qui témoigne de rencontres avec l'âme de suicidés, fait état de ces difficultés. Il nous rapporte que non seulement l'âme retrouve, après le suicide, le même mal-être qu'avant, mais qu'elle ajoute à son désespoir la peine et le remords d'avoir fait aux siens tant de mal. Il semble même qu'elle ressente souvent comme sienne la douleur de ses proches. Évidemment, la profondeur de l'état traumatique dépend de l'intensité du sentiment de culpabilité généré par le mental inférieur. Pas facile pour l'être déjà meurtri sur terre de traverser autant de couches d'émotions négatives et d'atteindre la sérénité dans l'après-vie !

Mais il faut savoir que l'âme blessée par le suicide n'est pas seule et abandonnée dans le néant. L'au-delà est un réservoir de ressources et d'êtres de Lumière auprès desquels elle peut trouver du secours. Ses guides sont là, de même que les membres décédés de sa famille humaine et de sa famille d'âmes, qui l'entourent, tentent de la nettoyer et de l'attirer vers la Lumière. Ce qui lui permet de recevoir tôt ou tard la guidance de son Dieu intérieur et d'arriver au lâcher-prise. Elle peut aussi compter sur l'aide de ceux qui restent. Il est sûr que, de la terre, nous pouvons aider les âmes en détresse et les apaiser en leur parlant (ou en leur écrivant), en leur envoyant des pensées d'espoir et de joie, en créant autour d'elles une banque d'amour inconditionnel en dehors de tout jugement. Et pourquoi pas en méditant et en priant pour elles ? La prière, et surtout la prière collective, est créatrice d'égrégores purificateurs, c'est connu. Ce qui est certain, c'est qu'il y a une fin à cet état et ce, pour toutes les âmes. Toutes

---

105 Givaudan, Anne, **La rupture de contrat.** Message des « suicidés » au monde des « vivants », France, Éditions S.O.I.S., 2006, 195 p.

celles visitées par Anne, d'ailleurs, se remettent relativement rapidement et sortent plus fortes de leur expérience.

Je me demande, pour ma part, si ce n'est pas pour ceux qui restent que le suicide est le plus dramatique. En plus de provoquer un immense sentiment de perte, il génère chez eux, comme chez le suicidé lui-même, un sentiment de culpabilité souvent dévastateur. On se sent toujours un peu responsable de la mort des siens. Alors, imaginez comment on se sent devant un suicide... Et les proches, eux, sont souvent sans recours. Je crois donc que ce sont eux que nous devons impérativement aider à guérir. Comment ? En les aimant, en étant présents, en les écoutant. Et... en leur expliquant peut-être, lorsqu'ils sont rendus à cette étape, les concepts de liberté de choix des âmes, de deuxième chance, et de contrats d'évolution passés avec les siens dans le grand Plan de la Vie. Rappelons-nous que le hasard n'existe pas, que rien n'arrive qui ne soit consenti par l'âme et que rien n'arrive pour rien...

En ce qui concerne l'euthanasie souhaitée et réclamée par des vieillards qui n'en peuvent plus ou par des malades en phase terminale, le Dieu de Neale Walsch va, une fois de plus, à l'encontre des règles et des croyances communes, à l'encontre de la position des Églises et de celle de la médecine officielle. Il est d'accord avec l'euthanasie consentie et il précise que, pour l'âme, la « conséquence » de l'euthanasie est différente de celle du suicide. Il n'y aurait plus, ici, nécessité de reprendre ses classes puisque l'âme est arrivée de toute façon au bout de son chemin. Il avance même qu'une mort assistée est salutaire en ce qu'elle met fin aux souffrances physiques et qu'elle empêche la perte de la dignité humaine.

En lisant cela, j'avoue que j'ai été un moment perplexe. Je pensais à Morrie Schwarz qui mettait sa dignité dans l'abandon à la souffrance, dans le lâcher-prise absolu. Je pensais à Gitta Mallasz qui trouvait si important, malgré l'intensité de sa souffrance, de se rendre au bout du Grand Jeu du Sens. Je pensais à Elizabeth Kübler-Ross et à son concept du *unfinished business* à compléter. Je croyais que la souffrance faisait partie du scénario pour la plupart des mourants et qu'il leur fallait aller au bout de ce scénario consenti. J'ai été, je l'avoue, tentée de conclure que Dieu était un peu laxiste ou, en tout cas, moins exigeant que les humains en matière de salut...

Après une relecture attentive, toutefois, j'en suis arrivée à une autre conclusion. D'abord que Dieu n'aime pas la souffrance, qu'Il ne l'a ni créée, ni exigée de ses créatures. Ensuite que Dieu respecte tellement le libre arbitre des hommes qu'Il ne juge ni ne punit aucun choix, ni même un changement de choix ou de plan de vie. C'est l'âme, comme je l'ai soutenu plus haut, qui se fait son propre juge... Conséquemment, tous les choix face à la souffrance et à la mort décrits depuis le début de cette histoire sont « corrects ». Y compris celui de la vieille dame de quatre-vingt-douze ans qui se suicide parce que l'euthanasie lui est inaccessible. C'est dire que l'âme a le privilège et le mandat de trouver en elle-même et en tout temps ses propres réponses existentielles. Dieu insiste : « Le Libre Choix est l'acte de pure création, la signature de Dieu, et ton cadeau, ta gloire et ton pouvoir, à jamais. »[106] C'est dire aussi que, pour Dieu, il n'y a jamais de « réponse incorrecte »... N'est-ce pas réjouissant d'entendre ça ? Ne serait-il pas merveilleux d'y croire ? Ne serait-il pas plus facile alors d'atteindre la paix de l'âme et de préparer son retour à Dieu ?...

Dans le même ordre d'idées, j'imagine que vous vous posez des questions sur le *prix à payer* pour l'avortement et que vous aimeriez avoir des réponses. Eh bien, Dieu n'en parle pas dans *Retour à Dieu* et je n'ai pas tellement envie d'alimenter la guerre entre *pro-choix* et *pro-vie*. Cependant, si je m'élève au-dessus de la morale humaine et du jugement et si je reste dans la logique de Dieu, je puis dire que l'avortement obéit aux mêmes règles de libre choix et de contrat passé entre les âmes. L'âme de l'enfant « repoussé », et possiblement marqué pour un temps, est partie prenante à la décision. Cette décision fait partie du Plan, elle est une cocréation comme tout le reste et elle s'inscrit dans le processus d'évolution de toutes les âmes impliquées. Ainsi, le prix à payer pour l'avortement ne vient pas de Dieu. Il est plutôt fonction du jugement social et de l'autojugement, comme toujours.

Il est une autre question traitée par Dieu dans *Retour à Dieu* qui vous intéresse sûrement au plus haut point. C'est le mystère des enfants qui meurent en bas âge et qui semblent n'avoir pas eu le temps d'accomplir leur plan de vie. Je pense aux enfants leucémiques et à

---

106   Walsch, Neale Donald, **Retour à Dieu.** Une vie sans fin, op. cit., p. 302.

tous ceux qui ne font que passer. Je savais que leur mort faisait partie du Plan. Je savais qu'ils venaient pour l'avancement des leurs, pour leur apprendre le détachement, la compassion, l'amour inconditionnel peut-être. Mais je croyais qu'ils avaient à revenir pour vivre en entier leur propre vie, pour compléter leur scénario à eux. J'apprends que le programme de ces êtres est essentiellement de se mettre au service de celui des autres et que ce programme est complété lorsqu'ils partent. J'apprends également que ces êtres sont des anges, à l'instar des avatars et des maîtres qui, eux aussi, s'incarnent pour servir le programme des autres. Peut-être cela aidera-il les parents inconsolables de savoir que leur enfant est un ange qui leur a fait le cadeau de s'incarner pour les aider dans une étape de leur apprentissage et qu'ils avaient passé avec lui un contrat d'évolution. Mais ce qui aidera sans doute encore plus les parents en deuil, c'est de savoir que, de là-haut, leur ange continue de les aimer et de veiller sur eux et qu'ils scront un jour réunis dans le monde spirituel au sein d'un même groupe d'âmes amies.

Saviez-vous que les anges s'incarnaient ? Je veux dire les anges « non déchus », ceux qui ne se sont pas séparés de Dieu à l'origine par orgueil, par rébellion, ou par illusion… Je croyais que les anges descendaient dans la matière très exceptionnellement. Eh bien, le Dieu de Neale Walsch nous dit qu'ils le font constamment. Pour se réaliser différemment, sans doute. Pour nous indiquer la voie du retour, sûrement. Alors peut-être vivez-vous, sans le savoir, avec un ange à vos côtés, et j'ignore si c'est aussi facile qu'on se l'imagine… Je crois savoir cependant que, pour ces anges, la vie dans la densité est quelque peu éprouvante à cause de l'écart de fréquence vibratoire et je les soupçonne d'avoir hâte de retourner à Dieu. Ce n'est sûrement pas eux, en tout cas, qui ont peur de partir ou qui mettent des années à se détacher de la terre après leur mort.

Mais le Dieu de Walsch va encore beaucoup plus loin dans la démystification de la mort. Et j'aimerais que nous allions plus loin avec lui. Il en fait constamment l'éloge. Pour lui, la mort est toujours un cadeau, jamais une tragédie. Et ce, même dans le cas de morts violentes provoquées par des accidents, des meurtres, des cataclysmes, des guerres ou des actes terroristes. Il écarte d'ailleurs le mot *victime* de son vocabulaire. Il nous rappelle une fois de plus qu'il n'y a dans le monde ni victimes ni bourreaux, que tout est choisi, consenti et conforme au plan de transformation de chaque âme. Vue de la terre, avec notre courte vue et nos étiquettes dualistes de Bien et de Mal, cette assertion est plutôt difficile à accepter. Surtout quand on assiste à la mort en direct dans les bulletins de guerre à la télé. Mais attention ! Dieu ne bénit pas la violence, pas plus qu'Il ne se réjouit de la souffrance. Les deux sont des créations ou des cocréations de l'homme. Il soutient seulement que la mort, même violente, est un cadeau dans sa finalité cosmique.

Et pourquoi la mort serait-elle un cadeau ? Plus haut, dans mes textes littéraires, souvenez-vous, je qualifie la mort de *fée passeure*, de *gardienne du rêve*, et même de *marchande de bonheur*. Dieu va plus loin encore. La mort est un cadeau, selon Lui, parce qu'elle est créatrice, parce qu'elle est un outil de création. Pour ceux qui considèrent la mort comme la fin de la vie ou comme l'absurde porte du néant, ce propos est étonnant. Mais imaginez l'être délié de ses entraves physiques et de ses préoccupations matérielles, l'être redevenu énergie et qui n'a maintenant qu'à s'accomplir en se dépouillant davantage encore de la densité, en raffinant son énergie à travers les étapes de l'après-mort. Imaginez sa liberté et sa puissance dans le champ de possibilités infinies qu'est l'au-delà...

Je savais, comme vous sans doute, qu'il y avait des étapes après la mort, des étapes de détachement et de transformation. Mais je n'avais jamais vu ces étapes décrites aussi clairement et aussi précisément que dans *Retour à Dieu*. Et il m'apparaît tellement important, pour nous humains, de comprendre ce qui se passe après le passage du tunnel que je crois utile de les résumer. La première étape consiste à nous détacher de notre corps, du sentiment d'avoir un corps, une apparence, une enveloppe charnelle. À nous dépouiller de toute sensation, expérimentation, ou limite physiques. Ceci est difficile pour certaines âmes très « ancrées » qui vont chercher à regarder vers le monde terrestre dont la porte est encore ouverte et qui vont se complaire pour un temps dans l'incrédulité, la nostalgie ou l'amertume. Pour ces âmes, la première étape peut être longue, mais elle n'entraîne pas, selon Dieu, de souffrance réelle, et la désidentification du corps s'accomplit tôt ou tard, pour tous sans exception.

La deuxième étape consiste à nous libérer du mental et de toutes les pensées et émotions qui nous y relient. Cette étape peut aussi être très longue car c'est la période de réalisation des attentes et des créations spontanées. C'est là qu'on peut revenir dans le monde de la physicalité et se manifester à ceux qui restent, souvent pour boucler avec eux. C'est surtout là qu'on se crée mentalement son enfer, son ciel, son purgatoire. Ou même son néant si on le désire. De ces états, seul le ciel est réel d'après Dieu. Mais comme il est différent de celui des croyances humaines, on peut vivre longtemps dans un ciel illusoire, dans les demeures temporaires créées par le mental, avant de connaître le ciel *état d'être*. Là non plus, cependant, il n'y a pas de souffrance réelle et le détachement, possible en tout temps, se fait au rythme du lâcher-prise et de l'élargissement de la conscience.

La troisième étape consiste à nous détacher de notre âme individuelle. La porte du mental étant maintenant fermée, on ne voit plus que le passage devant. On abandonne graduellement tout sentiment d'identité propre et on entre dans la lumière pour fusionner. Avec nous-même d'abord. Gitta Mallasz dirait: pour fusionner avec notre Ange, avec notre moitié lumière. Maintenant libérés de nos trois composantes individuelles (corps, âme, esprit), nous devenons la somme des énergies qui produisent les trois, c'est-à-dire Un en Dieu. Nous rétablissons notre identité divine et arrivons à la Supraconscience. Nous pouvons maintenant créer sur les trois plans : subconscient, conscient et Superconscient, avec tous nos outils de création réunifiés. En d'autres mots, nous mettons fin à la séparation et retournons à l'Énergie suprême. C'est cet état, je dirais, que l'on peut appeler le Ciel avec une majuscule. Et c'est à cette étape que la guérison dans la mort est complétée et que le bonheur devient félicité.

Mais la mort, selon Dieu, n'est pas que créatrice, elle est aussi cocréatrice. Elle sert le programme de ceux qui restent, leur livre un message, les fait avancer et, ce faisant, les tire vers le haut. « Toutes les âmes interagissent en cocréant à chaque instant », nous dit-Il.[107] Vous vous souvenez du concept de corps mystique du Christ enseigné par l'Église ? C'est le même concept rendu plus clair, à mon avis. Nous sommes en effet tous interreliés comme les fils d'une tapisserie

---

107 Ibid., p. 181.

qui s'entrelacent. Dans la mort comme dans la vie. Ainsi, chaque mort qui conduit l'âme à sa Vérité ouvre la voie à d'autres âmes vers cette même Vérité et la prépare. Ainsi, « [...] aucune mort [...] n'est jamais *gaspillée*. Personne ne meurt jamais *en vain* »[108], nous dit encore Dieu. N'est-ce pas là une vision élevée et élevante de la mort ? Une vision porteuse d'espoir pour ceux qui partent et pacifiante pour ceux qui restent ? J'aurais aimé que ces notions soient inscrites au petit catéchisme de mon enfance...

Je ne puis faire le tour de tous les enseignements contenus dans les quelque trois cents pages de *Retour à Dieu*. Non plus qu'approfondir ces enseignements. Si le sujet vous intéresse et que vous voulez l'explorer davantage, il vous faudra lire cet ouvrage. Et, si vous acceptez d'être touché par lui, je vous conseille de le lire ou de le relire à petites doses, de le digérer, de le laisser entrer par osmose dans vos cellules afin que son énergie vous habite, vous remue et vous transforme. Moi, je le laisse entrer par le chakra du coeur et il fait vibrer mes corps subtils. Tantôt il me secoue, tantôt il m'enivre. Et c'est magique !

Il y a cependant dans ce livre une révélation qui me trouble et dont je veux vous faire part. Je vous entretiens, depuis le début de mon histoire, de la nécessité de la réincarnation pour l'évolution de l'âme. Et je sais que je suscite chez certains de l'incrédulité. Eh bien, là-dessus, Dieu est formel : « Aucune âme ne parvient en une seule vie à la conscience absolue. »[109] L'accomplissement se fait par étapes et chaque vie est une étape. Chaque vie comporte son programme ou sa Tâche et la mort arrive, comme le soutenait Gitta Mallasz, lorsque cette Tâche est complétée. Ensuite, nous nous recréons dans le monde spirituel. Nous fusionnons à l'Énergie et baignons dans l'Essence divine... jusqu'à la prochaine fois ! Jusque-là, tout va bien pour moi. Je suis acquise au concept de la réincarnation et je connais son rôle. Ce n'est pas ça qui me trouble.

Ce qui me trouble, c'est ce qui vient après. Dieu nous révèle qu'aucune mort n'est éternelle et qu'elle conduira toujours à une renaissance quelque part dans le cosmos. L'aller-retour entre le monde

---

108 Ibid., p. 179.
109 Ibid., p. 40.

physique et le monde spirituel serait perpétuel. Et ce, semble-t-il, même quand nous arrivons à la conscience absolue. Je croyais qu'arrivés à cette conscience, qu'arrivés à la fusion suprême, nous pouvions cesser de nous réincarner et nous reposer pour l'éternité dans le Tout réunifié. Déception ! Moi qui comptais sur le Grand Retour pour me prélasser et me bercer enfin en Dieu... Eh bien, la Vie est éternelle parce que l'évolution est sans fin, soutient Dieu ! Et, quand nous aurons terminé notre scénario d'évolution sur la terre, nous irons ailleurs nous expérimenter différemment, exercer notre divinité autrement et peut-être même, comme le soutient Daniel Meurois dans *Comment dieu devint Dieu*, servir de partenaire, voire de matériau dans la création d'autres planètes, d'autres mondes, d'autres univers...

La déception passée, je me suis dit : Va pour le recommencement éternel ! Je trouverai bien un jour le moyen de faire de longues siestes en Dieu entre mes voyages cosmiques... Mais j'ai un autre problème, un problème d'auteur. Quand j'ai écrit le poème *Et si la mort n'était pas la mort...*, il y a une quinzaine d'années, je l'ai fait avec mes connaissances de l'époque. Je croyais alors que les « dernières épousailles » correspondaient au « repos éternel ». Le Dieu de Neale Walsch ne s'était pas encore manifesté. Et quand j'ai intégré ce poème à mon histoire, au deuxième chapitre, je vous ai livré la version originale, croyant qu'elle était encore valide. Il en est en spiritualité comme en science : une hypothèse est valide tant qu'elle n'a pas été remplacée par une autre plus convaincante. Après la lecture de *Retour à Dieu*, j'ai compris que je devais corriger la dernière strophe de ce poème. Je la retouche maintenant, plutôt qu'au chapitre II, afin que vous soyez témoins des étapes ou des méandres de la création. Tant de la création d'un poème que de la création d'une vision du monde ou de celle d'une vie.

Et si la mort avait une fin ?
Et si la vie revenait sans cesse et sans cesse
    réunir ceux qui meurent, tour à tour
    et ceux qui restent ?

Pour ces quatre premiers vers, tout va bien, aucun changement ne s'est imposé. Mais j'ai réécrit la fin de la strophe pour mieux traduire ma nouvelle compréhension de la mort et vous la dire en images. Je vous laisse le soin de comparer cette version à la première. Moi, je crois que je préfère maintenant la deuxième :

> **Et si la mort n'existait pas ?**
> **Et si la Vie, seule, se réinventait**
>> **de chrysalide en papillon**
>> **de poussière d'étoiles en ailes d'ange**
>> **de retrouvailles en Retrouvailles**
> **Dans l'Éternelle Immortalité**
>> **d'un Dieu qui sans cesse se recrée**
>> **dans l'Amour sans fin, sans fin, sans fin...**

Si on en arrive à cette compréhension du Plan et si on accepte le Grand Jeu de la Vie, est-il encore besoin de parler de guérison dans la mort ? Peut-être bien qu'on est guéri ! Et peut-être bien qu'on n'a plus qu'à plonger dans la Vie !... Car, vous le savez maintenant, la mort est un leurre. Seule la Vie existe. Tantôt dans la matière visible, tantôt dans l'énergie ô combien subtile du Tout unifié ! Merci au Dieu de Neale Donald Walsch de m'avoir enseigné la Vie à travers la mort.

Mais peut-être êtes-vous sceptiques ? Peut-être me direz-vous : Mais qui est le Dieu de Neale Walsch et pourquoi y croyez-vous ? Eh bien je répondrai à cette question avec mon coeur, non avec ma tête. Et je terminerai là-dessus ce trop long chapitre. Le Dieu de Walsch est le même Dieu que Celui que vous portez en vous, que vous ignorez la plupart du temps, mais que vous reconnaissez parfois, le temps d'un clin d'oeil, derrière votre petite voix intérieure. C'est le Dieu que je porte en moi et que je nomme l'Esprit. C'est le Dieu que Gitta Mallasz appelle son Ange et qui refaçonne son ADN. Il s'agit en fait de la Supraconscience qui répond à l'esprit humain, de la Conscience Universelle qui habite et informe la conscience individuelle.

Et pourquoi est-ce que j'y crois ? Parce que tout dans ce livre, ou presque, me semble conforme à ce que je sens en moi. Parce que tout me semble coller à mes intuitions et à mes mémoires. Pourquoi alors est-ce que je ne vais pas chercher toutes les réponses en Moi plutôt que dans mes lectures ? Parce que, comme vous, je ne fais pas encore assez confiance à mon Dieu intérieur. Parce que, comme vous, je préfère m'appuyer d'abord sur les révélations issues d'un autre canal que le mien. Un canal plus reconnu et donc plus crédible. Aussi parce que j'aime cette gymnastique de l'esprit qu'est la vulgarisation et la complicité qu'elle permet avec les auteurs spirituels. Enfin, parce que nous participons tous du même Dieu et que Walsch et moi puisons au même réservoir. Puisqu'en Dieu, nous sommes Un, que nous sommes Un en Lui et qu'Il est Un en nous, alors, quelle importance ? Merci, donc, au Dieu de Neale Walsch ! Merci à mon Dieu intérieur ! Merci au Dieu Unique de démystifier la mort ! Merci au Dieu Unique de m'apprendre et de vous apprendre la Vie !...

XII

Le bonheur ici-bas et au présent

Nous venons de voir que le bonheur est possible après la mort, qu'il est même assuré, pour tous, dans l'au-delà. Mais qu'en est-il du bonheur ici-bas, du bonheur maintenant ? Pouvons-nous transmuter notre peur de vivre en bonheur de vivre ? Et si oui, comment ?

Si l'on revenait d'abord sur la nature du bonheur et si l'on tentait de la cerner d'un peu plus près ? Il y a tant de succédanés. Bien sûr, il y a le plaisir, la passion, la griserie du succès, de l'argent, du pouvoir. Bien sûr, il y a les joies quotidiennes, « Les petits bonheurs de Janette » comme disent mes amies téléphiles. Bien sûr, il y a les moments de grâce où l'on se sent en communion avec l'Univers et plus près de son âme. Moments que je connais bien et que je décris plus haut dans le poème *Quand il fait printemps...* Je ne sous-estime ni le plaisir, ni les joies, ni les grâces, si essentiels à l'équilibre humain. Mais le Bonheur, lui, le bonheur essence, le bonheur *état d'être*, le bonheur sans peur et sans fin, est-il un impossible rêve sur la terre ?

Se pourrait-il que le bonheur ici-bas soit de même nature que le bonheur là-haut et qu'il repose sur la même condition ? Se pourrait-il qu'il se trouve dans la guérison de l'âme, c'est-à-dire dans son *Retour à Dieu* ? Le Dieu de Neale Walsch, comme Kryeon avant lui et beaucoup d'autres, affirme que ce retour est possible ici-bas et qu'il faut s'y consacrer corps et âme[110]. Gitta Mallasz prône le bonheur dans l'accomplissement de la Tâche qui modifie l'ADN et conduit à la fusion avec l'Ange. Daniel Meurois, pour sa part, nous livre, dans *Comment dieu devint Dieu*, ce qui ressemble à une nouvelle définition du bonheur : « Le phénomène d'aspiration vers le haut, vers quelque chose de plus grand - jusqu'à un état de fusion solaire - s'avère être le moteur de la quête du bonheur. »[111] Et Bernard Montaud, dans *La psychologie nucléaire*, insiste : « Se peut-il que le bonheur d'Être devienne suffisant quand le bonheur d'avoir viendra à manquer ? »[112] Je prends la liberté d'écrire le mot « être » avec une majuscule car Montaud explique plus loin : « [...] la prochaine conquête humaine, ce n'est pas l'espace, ce n'est pas Mars, mais le Martien intérieur [...] »[113] L'état de bonheur dans la réappropriation de sa divinité et de son pouvoir divin ! Quelle belle vision des choses et quel beau projet !...

De plus, si vous y regardez de plus près, vous verrez que, d'après tous ces auteurs, le bonheur se trouve dans la quête et pas seulement au bout de la quête. Qu'il est dans le chemin vers Dieu et pas seulement dans la fusion à Dieu. Ce qui faisait dire à je ne sais plus quel maître que « l'important est de commencer ». Par où commencer, me demanderez-vous ? Depuis le début de ce livre, je témoigne de mon chemin à moi, sous la guidance de ma voix intérieure qui, elle, passe parfois par la voix des livres et des maîtres. Mais je ne puis vous dire : « Suivez mon chemin, il est le vrai ! » Oui, il est le mien, mais il n'est ni le seul ni, peut-être, le meilleur pour vous. Il y a tellement de maîtres, tellement de livres, tellement d'écoles ou de courants qui nous enseignent tellement de chemins infaillibles vers le bonheur que nous ne savons plus où donner de l'âme. Il vous faut trouver votre chemin !

---

110 Dans un roman publié en 1996 et intitulé **Le Retour**, Kryeon cherche à nous démontrer que c'est sur la terre que ça se passe. Il raconte le cheminement d'un homme qui, à travers les obstacles et les initiations de la vie dans la matière, arrive à vaincre ses peurs et ses démons intérieurs et à se réunifier à sa moitié divine. Moitié qu'il appelle lui aussi l'Ange, à l'instar de Gitta Mallasz.

111 Meurois-Givaudan, Daniel, **Comment dieu devint Dieu**, op. cit., p. 48.

112 Montaud, Bernard, **La psychologie nucléaire**. Un accompagnement du vivant, France, Édit'as, 2001, p. 218.

113 Ibid., p. 278.

Par où commencer ? Si vous lisez ce livre, ou d'autres du même esprit, c'est que vous avez déjà commencé. Peut-être en êtes-vous à l'étape d'accueillir votre Dieu intérieur et de vouloir travailler avec Lui. Comment savoir ce qu'Il pense et la voie qu'Il vous propose pour vous réaliser et vous conduire au bonheur ? Demandez-le Lui. Commencez par parler avec Lui, c'est-à-dire avec Vous-même. Gitta Mallasz n'était jamais aussi heureuse que quand elle pouvait dire de quelqu'un : « Il a posé sa première question ! » À son Ange, évidemment. Et je l'entends finir sa phrase : « Il ne s'arrêtera plus !... » N'ayez pas peur du contact avec le monde spirituel ! C'est de ce monde que nous émanons. N'ayez pas peur de l'Invisible ! C'est son énergie qui nous nourrit. Que ce soit par le biais du rêve, du channeling, de l'écriture automatique, du tarot ou d'un pendule, si vous posez votre première question à votre divin, le dialogue est établi et je puis témoigner qu'il ne s'arrêtera jamais...

La seule condition de succès est que ça se passe en dehors du mental, en dehors de tout contrôle. Quand j'ai commencé à dialoguer avec mon enfant intérieur, ou ma voix du ventre, que j'ai plus tard baptisé l'Esprit, j'ai déposé ma tête sur la chaise d'à côté et j'ai pris le risque. J'ai eu l'impression de sauter dans le vide comme quand je m'adonnais jadis aux régressions. Alors, je me suis accrochée à mon stylo : « Qu'est-ce que je fais de ma vie, maintenant ? Le sais-tu, Toi ? » J'avais 58 ans et je venais de quitter ma secte. Il était impératif que je passe à autre chose. Alors, j'ai laissé sortir ce qui montait. C'était comme une hémorragie de mots et de phrases que j'aurais retenus depuis la nuit des temps. Et c'était joyeux, et tendre. La petite fille en moi riait de la grande, s'en moquait, la désarçonnait, l'entraînait vers la dédramatisation, la légèreté et une mission joyeuse. Oui, elle savait, elle, ce qui pouvait me sauver du désespoir et me ramener à Moi. Elle m'a menée à la création et à l'animation d'ateliers de lectures spirituelles et à l'écriture de deux livres et de nombreux poèmes. Cette conversation, en dehors de mes préoccupations mentales habituelles, fut pour moi un pur moment de création et de bonheur. Elle a changé ma vie. Et elle fait déjà la preuve que le bonheur est dans le cheminement avant que d'être dans l'aboutissement.

Une fois que le contact avec votre Dieu intérieur est établi, il n'y a plus qu'à lâcher prise et qu'à vous laisser guider vers votre chemin à vous. Et là, attendez-vous à ce que ça brasse ! Il y a tant de chemins, je le répète. Il se peut que vous deviez, comme moi, passer par plusieurs chemins et que ce soit des états de crise qui vous poussent de l'un à l'autre. Il se peut que votre être divin vous ménage et que vous fassiez l'économie des démarches. Mais vous ne ferez pas, je crois, l'économie des étapes. La transformation intérieure se fait par changements successifs de niveaux de conscience. Aucune expérience n'est perdue et chaque pas compte.

Il se peut aussi que votre Maître intérieur se serve de la guidance indirecte et passe par des intermédiaires, messagers ou événements, pour vous faire trouver votre chemin et vous y maintenir. Surtout au début. C'est là tout le jeu des coïncidences ou de la synchronicité. C'est comme ça que j'ai commencé mon travail d'intériorisation, il y a trente ans. J'ai été guidée, de fil en aiguille, vers des séminaires, des cours, des thérapies, tantôt par un dépliant abandonné sur un banc public, tantôt par un article de revue, tantôt par un témoignage, tantôt par la voyance d'un ami. Aujourd'hui, même si je m'en remets davantage à mes intuitions, ou à mon Esprit, pour trouver des voies nouvelles, je me laisse encore guider par les coïncidences (ou ce qui semble en être). Dans le choix de mes livres et de mes outils de santé, par exemple, et dans bien d'autres choix quotidiens.

Deepak Chopra, médecin, auteur de nombreux ouvrages spirituels et tenant de la physique quantique, attache pour sa part une importance capitale aux coïncidences. Dans son ouvrage *Le livre des Coïncidences*[114], il soutient qu'elles sont des petits miracles, des messages quotidiens qui nous gardent en contact avec l'Intelligence ou la Volonté de l'Univers et que si on s'entraîne à les reconnaître, à les utiliser et même à les attirer, elles peuvent tisser la trame de notre vie tout entière et nous conduire à l'éveil. Il appelle cette approche la synchrodestinée et nous propose un itinéraire en plusieurs étapes pour atteindre des niveaux de conscience supérieurs, la fusion et le Bonheur. Alléchant, pas vrai, comme proposition...

Mais personnellement, malgré mon attrait pour les coïncidences du moment, mon cheminement jusqu'à ce jour a été surtout axé, vous le savez, sur la guérison du passé et des mémoires cellulaires.

---

114 Chopra, Deepak, **Le livre des Coïncidences**. Vivre à l'écoute des signes que le destin vous envoie, Paris, InterÉditions, 2004, 236 p.

Certains de mes amis et lecteurs m'en font d'ailleurs parfois le reproche. La tendance est à la création consciente du moment présent. Et ce, sans regarder en arrière... Eckhart Tolle, dans *Le pouvoir du moment présent*[115], fustige le mental et laisse entendre que le travail sur le passé est une perte de temps et ne fait souvent que gratifier le mental. Ce genre de propos me dérange un peu. Je suis d'accord avec la création du présent et j'y reviendrai. J'en suis sûrement rendue là moi aussi. Mais je ne renierai ni ne regretterai jamais ma recherche antérieure, mes écritures cathartiques, mes régressions dans l'enfance et dans mes vies passées, mes conversations avec les morts, etc. Je crois, avec nombre de maîtres, que pour savoir où l'on va, il faut savoir d'où l'on vient. Et comme le passé est un présent ancien collé dans nos cellules, je crois qu'il est très utile de le déverrouiller pour le démystifier et le soigner.

J'insiste. Ne sommes-nous pas la somme de tous nos passés ? Et ne sommes-nous pas la synthèse de l'évolution des règnes ? Ce qui serait la source de notre imperfection, d'après Bernard Montaud dans *La Psychologie nucléaire*. Imperfection dont nous ne serions pas coupables, mais que nous aurions la responsabilité de reconnaître et de réparer. Et Montaud propose un long processus d'exploration du passé et de guérison du présent. Il appelle ce processus passer du *cycle traumatique* au *cycle transformé*, c'est-à-dire au Bonheur. Yann La Flèche traite également de l'évolution des règnes dans son roman initiatique *La Prophétie du cinquième règne*[116]. Il nous entretient longuement de la loi de l'inclusivité, c'est-à-dire de l'imbrication des formes de vie l'une dans l'autre (de l'infiniment petit à l'infiniment grand), de leur interdépendance et de notre place à nous dans la hiérarchie de la vie. Il soutient que notre mission et notre chemin de guérison en tant qu'êtres humains est de traverser le quatrième règne et d'accéder au cinquième en faisant évoluer les autres règnes à l'intérieur de nos corps, ou ce qu'il appelle nos vies mineures. Or, comment y arriver si nous ne connaissons pas ces vies que nous portons en nous, leur histoire et leurs blocages ? Si nous ne connaissons pas, somme toute, notre structure d'être humain et notre plan d'évolution, qui sont les mêmes que ceux de l'Univers dont nous sommes un microcosme.

---

115   Tolle, Eckhart, **Le pouvoir du moment présent**, Montréal, Ariane, 2000, 254 p.
116   La Flèche, Yann, **La Prophétie du cinquième règne**, Monaco, Éditions Alphée, 2005, 297 p.

Et puis, que faire selon vous quand on n'a pas eu, comme Eckhart Tolle, accès au saut quantique, à l'illumination spontanée à la faveur d'un vortex d'énergie, et au bonheur absolu en remplacement d'une souffrance absolue ? Pour ma part, mon chemin de Damas a été plus long et ma recherche du bonheur plus lente. Moi, je dois prendre le temps... Comme vous peut-être... Je sais d'ailleurs que c'est aussi mon être divin qui m'a guidée vers toutes mes démarches passées. J'en avais besoin pour alléger mes mémoires et mes corps énergétiques. Pour rajeunir mon âme, quoi ! J'en avais besoin d'abord pour comprendre. Pour me comprendre, m'autoresponsabiliser et accepter de me transformer. Et beaucoup, comme moi, en ont besoin pour s'assumer et amorcer le changement. Mon ami Ghislain ajoute à cela que tant que les énergies du passé sont présentes dans nos corps subtils, on voit le présent avec les yeux du passé. C'est peut-être donc, ultimement, pour changer notre regard sur le présent et pour croire au bonheur qu'il faut, à tant d'entre nous, épousseter, voire récurer le passé.

Dans ce contexte de libération du passé, laissez-moi vous raconter ce qui s'est mis en place dans ma vie récemment pour nettoyer mes mémoires et permettre la guérison de mon ADN. Je savais déjà depuis plusieurs années que j'avais du sang amérindien dans les veines. Je croyais qu'il venait de la lignée maternelle, d'une vague aïeule Mohawk de Kanawake dont on parlait très peu dans la famille quand j'étais jeune. Par pudeur, sûrement, ou par racisme pur. Mais, il y a un peu plus d'un an, à l'occasion d'une conversation de salon funéraire (c'est souvent là que se dévoilent les secrets de famille), j'apprenais que ma grand-mère paternelle possédait également du sang amérindien, qu'elle était métissée, qu'elle avait un père Mohawk, aussi de Kanawake, et qu'elle était probablement le fruit de l'adultère. Mes vieilles cousines me parlaient d'une rumeur qui avait couru à l'époque, mais les photos usées héritées de ma mère venaient confirmer la rumeur...

Ce fut un choc ! Je me retrouvais avec deux ancêtres Mohawk et un bagage génétique encore plus chargé que je ne le croyais. Un bagage riche de courage, de débrouillardise et de persévérance, mais porteur d'énergies de rejet, de peur, d'impuissance et de sentiment d'injustice. Cela me donnait de l'information sur la source de mes vieux problèmes existentiels et de mon inaptitude au bonheur, mais suscitait plein d'autres questions. Quel type de femmes avaient été ces deux aïeules ? Qui m'avait légué quoi ? Que faire avec cette double hérédité si lourde ? Eh bien, croyez-le ou non, mes questions ont été entendues. Dans les mois qui suivirent, mes deux aïeules se sont manifestées tour à tour. À quelques semaines d'intervalle, comme si elles s'étaient consultées...

La mère de mon père, d'abord, s'est rappelée à moi de la façon la plus étrange qui soit. Il s'agit, souvenez-vous, de la fameuse mémère qui habitait avec nous la maison paternelle et qui m'a brisé le cœur en mourant. Peu de temps avant que je découvre le secret de sa naissance au salon funéraire, j'étais allée consulter mon ami homéopathe et voyant pour un problème dc santé récurrent. Mon calcul au rein droit semblait avoir grossi et se faisait sentir par une douleur persistante. Ghislain fit une brève lecture de mon aura et me révéla qu'il voyait pour la première fois dans mon rein subtil une présence, le fantôme d'une personne dont je n'aurais pas encore fait le deuil. Après l'étonnement, les hypothèses, et une relecture, nous constatâmes qu'il s'agissait de grand-mère Exilda. Mon ami me suggéra un contact avec elle pour en savoir plus et pour me soulager de ma douleur tenace. Je ne le fis pas le jour même. Peut-être avais-je un peu peur...

Dans la semaine qui suivit, je sentis mémère constamment présente dans ma pensée et dans mon rein. On aurait dit qu'elle frappait à ma porte. Après quelques jours d'hésitation, j'acceptai le contact et m'entretint par écrit avec ses énergies. Elle demandait à me parler, me disait-elle, pour m'aider à guérir du deuil traumatisant de mon enfance. Elle s'excusait de la peine inconsolable qu'elle m'avait causée, du sentiment de solitude et de rejet qui avait été mon lot après sa mort et, surtout, de l'héritage de tristesse et de fatalisme qu'elle m'avait légué, ainsi qu'à toute ma famille. Vous savez, le mythe de Sisyphe, le rocher à porter sur son dos dont je vous parlais plus haut, le sentiment que la vie est un combat qu'il faut mener la tête haute dans la dignité et la lucidité... Et ce pour la vie entière, voire pour l'éternité. Eh bien, ce sentiment, transgénérationnel, semble être passé beaucoup par la génétique paternelle.

Grand-mère a profité de cette communication pour me confirmer ses origines amérindiennes et le secret de sa conception. Elle m'a surtout expliqué comment sa naissance avait conditionné sa vie et son comportement de mère et de grand-mère. Enfin, elle m'a rappelé notre lien d'âme, comment elle m'avait reconnue, combien elle m'avait aimée et combien elle m'aimerait toujours. Il s'agit là pour moi d'une autre soeur d'âme, je crois. J'ai été très émue de cette forme de retrouvailles. À la suite de notre conversation et sur les conseils de Ghislain, j'ai imaginé pour mémère un petit rituel d'adieu très intime. Sur les bords du Richelieu d'abord, j'ai laissé partir au fil du courant les cendres d'un dessin qui traduisait mon deuil et ma tristesse. Plus tard, dans le boisé derrière chez moi, entre les racines d'un conifère géant, j'ai enterré l'effigie de ma grand-mère et lui ai érigé un monument miniature que je vais visiter parfois. Ce jour-là, je crois bien avoir transmuté mon deuil et tourné une page de mon histoire. Ma douleur au rein, elle, s'en est allée graduellement.

À quelque temps de là et de façon tout aussi étonnante, mon aïeule maternelle, l'arrière-grand-mère cette fois et de pur sang mohawk, cherchait à entrer en communication avec ma soeur Lili à sa maison de campagne des Laurentides. Morte depuis plus d'un siècle, il y a des années qu'elle tentait, sans succès, un contact. Cette fois, elle était bien décidée. Elle passa successivement par trois médiums amis, dont Ghislain et Marise, pour livrer la totalité de son message. Elle disait se prénommer Aka de son nom indien. Elle demandait, dans un premier temps, qu'on lui érige une stèle funéraire sur le terrain de ma soeur. Une grosse pierre des champs, toute simple. Elle voulait un port d'attache, un lieu où elle pourrait ancrer ses énergies et d'où elle pourrait garder un oeil sur sa lignée. Issue d'un peuple dépossédé de son territoire et de son histoire, dépossédée elle-même durant toute sa vie, elle avait besoin, énergétiquement, de retrouver un territoire bien à elle et d'être reconnue par les siens. Cela semblait nécessaire à la guérison complète de son âme.

Nous prîmes la demande très au sérieux. Je participai aux recherches avec quelques représentantes de la lignée et Marise, la porte-parole d'Aka. À quelques kilomètres au nord de Sainte-Adèle, dans un immense champ de roches sculptées par la nature, nous nous livrâmes à l'opération d'abord animées d'un souci esthétique. Puis, grâce aux antennes de Marise, nous fûmes amenées à une vieille pierre brune qui, de loin, semblait assez terne. De près, cependant, elle laissait découvrir une multitude de cicatrices qui prirent pour nous allure de symboles. Des grottes, des pyramides, des plateaux, des forêts, des sentiers, des flèches et même des masques... Autant de pictogrammes, autant d'hiéroglyphes qui nous racontaient l'histoire de l'aïeule et celle de tout un peuple. Nous ajoutâmes même spontanément un symbole. Dans un creux, au sommet de la pierre, nous élevâmes un mini inukshuk, un symbole inuit cette fois, mais qui se mariait merveilleusement à l'ensemble. Comme l'inukshuk a pour fonction de donner l'orientation géographique et spirituelle au voyageur, nous trouvâmes qu'il était de mise sur la stèle d'Aka. Maintenant que je connais mieux, grâce à mes lectures[117], le rôle des premières nations dans l'histoire de la planète et l'évolution spirituelle de l'humanité, j'honore ces signes et je remercie le Ciel des rendez-vous cosmiques auxquels il me convie sans cesse.

Ma soeur fit transporter et élever la pierre emblématique dans sa cour arrière, à l'endroit exact désigné par Aka, c'est-à-dire sous un jeune cormier plein de promesses et dos à la rivière du Nord. Un endroit magnifique toujours exposé au soleil et sous un ciel bleu à couper le souffle. Un espace privilégié, bordé par l'eau, la maison et une rocaille débordante de fleurs et de fines herbes aux infinies couleurs. Un espace privilégié surtout, parce que consacré aux célébrations estivales et aux rencontres familiales. L'aïeule avait su choisir et faire sa place. Elle pouvait maintenant trôner au milieu des siens, inspirer, protéger et bénir sa lignée. Elle était sereine et heureuse. Elle nous gratifia de multiples apparitions qui la montraient à Marise souriante, marchant dans l'herbe ou assise sur sa pierre et fumant sa pipe de matriarche.

Comme je le soulignais au chapitre précédent, oui, nous pouvons aider les morts à se pacifier et à poursuivre leur cheminement. Mes deux aïeules avaient besoin d'un contact avec leur descendance pour

---

117 Le dernier ouvrage que j'ai lu sur le sujet livre des révélations si importantes sur le passé et sur l'avenir de l'humanité que j'ai le goût de vous dire : De toutes les lectures que je vous recommande dans mon livre, si vous ne deviez en faire qu'une seule, choisissez **Le Mystère des crânes de cristal** de Chris Morton et Ceri Louise Thomas. L'ouvrage est paru en anglais il y a plus de dix ans, mais la version française vient seulement d'être mise sur mon chemin. Vous la trouverez en format poche dans la collection J'AI LU. Je crois que, comme moi, vous serez fascinés et troublés...

mettre fin à des karmas difficiles, des destins, voire des contrats de vie. Elles en seraient, selon la géographie céleste de Neale Walsch, à leur deuxième étape de détachement après la mort. Elles seraient maintenant prêtes l'une et l'autre à entrer dans la troisième étape et à fusionner avec le Tout. Je viens d'ailleurs d'apprendre une nouvelle de dernière heure. Je suis passée, la fin de semaine dernière, dans le petit boisé où j'avais enterré l'effigie d'Exilda. Eh bien, imaginez-vous que la mini-stèle que je lui avais érigée à l'été, au pied du conifère géant, avait disparu. J'ai d'abord été outrée de ce que je considérais quasi comme une profanation de sépulture. Puis, je me suis dit qu'il y avait un message là-dessous. J'ai consulté mes sources et j'ai appris que les énergies de grand-mère s'étaient définitivement envolées, que l'histoire était terminée et que là devait s'arrêter la communication avec elle. L'âme d'Exilda, guérie et totalement en paix, poursuit sa route. Alléluia ! Au revoir, ma sœur d'âme ! Je t'aimerai en Dieu maintenant...

Mais si les vivants peuvent aider les morts à guérir et à évoluer, l'inverse est aussi vrai. Les morts peuvent aider les vivants à se libérer de leur passé traumatique. Exilda m'avait d'abord dit, lors de notre contact, qu'elle voulait m'aider à guérir de mon deuil. Selon Ghislain, elle possédait déjà sur terre des dons de voyance et avait une vie intérieure très intense. Là-haut, elle se préoccupait de la santé spirituelle des siens. De la mienne en particulier, semble-t-il. L'aïeule Aka, pour sa part, et toujours selon Ghislain, était horrifiée du bagage génétique qu'elle nous avait laissé à tous et elle voulait le reprendre. Nous apprîmes qu'elle avait sur terre souffert de diabète et de cancer et qu'elle était morte prématurément de ces maladies combinées. Maladies qu'elle avait transmises aux cinq générations suivantes et qui ne cessaient de décimer la lignée. Elle avait souffert, en plus, de dépression chronique, syndrome qui fut transmis à nombre de ses descendants sous la forme de la bipolarité.

Nous apprîmes aussi de Ghislain la profondeur de ses misères. Issue d'une caste inférieure de sa tribu, abusée dans sa jeunesse, repoussée des siens parce qu'elle avait épousé un blanc et jamais acceptée par sa famille blanche dont elle ne connaissait que très peu la langue, elle aurait connu une vie d'humiliation et de frustration. Une vie de peur, de silence et de solitude... Pour se faire accepter de sa belle-famille, il semble qu'elle en soit venue à se comporter comme une esclave et à accomplir les tâches domestiques les plus humbles. Elle avait une seule complice, sa pipe, qu'elle bourrait de tabac et de substances hallucinogènes et qu'elle fumait inlassablement, ce qui lui permettait de s'évader et de supporter le quotidien. Avec une telle destinée, pas étonnant que la maladie l'ait rejointe jusque dans ses gènes et qu'elle nous ait légué sa déprime et ses bobos.

Dans ses derniers messages, elle exprimait un deuxième souhait. Elle demandait une rencontre intergénérationnelle et nous invitait à lui remettre, au cours de cette rencontre, notre bagage génétique. Elle se disait maintenant capable de transmuter avec nous cet héritage et, ce faisant, de nous dégager des causes subtiles de nos maladies, ainsi que de libérer les générations montantes. C'est ma sœur cadette Mireille, amante de la spiritualité amérindienne, qui fut chargée de préparer un rituel d'interguérison. Il eut lieu un dimanche de juin, sur le tout nouveau territoire d'Aka. Ce fut un moment grave et chargé d'émotion. Des chants et des danses d'action de grâce autour d'un feu sacré monté devant sa stèle. Des gestes de purification. Des paroles d'hommage, de reconnaissance et de demande. Des énergies d'amour, de pardon, de réconciliation transgénérationnelle. Le tout couronné par un souper champêtre et une fête où la joie était l'invitée d'honneur. Quoi de mieux pour reconvertir ses mémoires cellulaires au bonheur ! Chaque fois que je retourne à Sainte-Adèle depuis ce jour, je vais me ressourcer à même les énergies d'Aka, du rituel de libération et de cette fête de l'amitié. Vous voyez comme ça peut être inattendu et magique parfois, les occasions de guérison !

Tout récemment, j'ai pris contact avec Aka. Je tenais à un témoignage intime. Je désirais que ça se passe entre elle et moi. Quand je lui ai demandé pourquoi elle avait fait tout ça, elle m'a répondu dans un langage étonnamment soigné : « Je voulais que le passé ne soit plus le maître de la pensée. Tu sais que la pensée crée et que, quand on la nourrit de façon positive, elle crée positivement. J'ai voulu changer avec vous le cours de votre pensée et, ce faisant, peut-être le cours de votre histoire. » Voyez comme tout se rejoint et comme les âmes là-haut, en guérissant, transforment leur vision du monde. Quand je lui ai demandé si elle voulait être mon ange gardien, elle m'a dit qu'elle jouerait ce rôle avec grand plaisir et que c'était d'ailleurs un peu sa mission auprès de la famille actuellement.

Et quand j'ai voulu savoir si ma sœur Solange allait bien, elle m'a confirmé ce que m'avait déjà dit Ghislain, que son processus de détachement allait bon train, mais qu'elle avait encore devant elle une lourde tâche, ayant été, elle aussi, fortement marquée par l'hérédité de fatalisme et de pessimisme des deux lignées. Elle ajouta que si nous, ceux qui restent, arrivions nous-mêmes à changer notre mode de pensée et être plus positifs, nous pourrions l'aider grandement. Quel mystère et quelle merveille que cette connexion entre le visible et l'Invisible, que cette interdépendance entre les membres, morts et vivants, du Grand Corps Unique ! Je crois que la mission d'Aka auprès de ses descendants se prolongera encore un peu. La lignée a encore bien besoin de son ange gardien...

Ce processus de guérison génétique en cocréation avec l'énergie des ancêtres me paraît relever à la fois de la psychologie transpersonnelle, de la biologie totale et de pratiques rituéliques chères aux amérindiens. Il s'agit là d'une voie, d'un chemin parmi d'autres. Mais quel beau chemin ! Bien sûr, je ne m'attends pas à ce que demain vous vous mettiez tous à échanger et à fêter avec vos morts. Et, bien sûr, je m'attends à vos questions : « Êtes-vous guérie maintenant ? Et vos rituels vous ont-ils rendue plus heureuse ? » À la seconde question, je réponds oui sans hésitation. Ces contacts avec mes lointaines génitrices m'ont réchauffé le coeur à jamais. Je ne me sens plus seule dans le désert à lutter pour ma survie et pour mon avancement spirituel. Je me sens appartenir à un immense clan, à une immense tribu dont les membres, liés par l'amour et par une Tâche commune, s'accompagnent dans le grand pèlerinage de la Vie. Je me sens appartenir à l'humanité en marche vers son Dieu avec la mission de marcher unifiée. Quant à la première question, je ne veux plus l'entendre ! Je suis sur le chemin du retour à Dieu, donc de la guérison, et j'y arriverai. Dans le visible ou dans l'Invisible, peu importe !

Et... une fois qu'on est libéré des lourdeurs du passé, que reste-t-il à faire pour arriver, ici-bas, au bonheur *état d'être*, me demanderez-vous encore ? J'ai bien envie de vous répondre, comme ça, spontanément: Tout reste à faire, mais à compter de maintenant, je crois que ce sera beaucoup plus facile. En 2004, je terminais mon premier livre sur une note zen. Je proposais le lâcher-prise et l'abandon à l'Instant comme voie de réalisation. Je crois toujours que c'est là une voie privilégiée vers le Bonheur. Mais je crois aussi, maintenant, que l'on peut construire l'Instant, façonner l'énergie de l'Instant. Et ce, tout en étant zen. Il s'agit de créer son présent et sa vie, à la manière des créateurs et des cocréateurs que nous sommes depuis toujours, c'est-à-dire par la pensée. *La pensée crée.* C'est un cliché maintenant que de le dire et je me le fais servir depuis plus d'un quart de siècle. Aka elle-même vient de me le rappeler. Au début, je me disais que cette affirmation relevait de la pensée magique. J'attendais une explication cohérente. Puis, j'ai longtemps attendu le mode d'emploi. Comme j'attendais le bonheur et la guérison... En attendant, je faisais de la place en dedans et j'entretenais mes espoirs par l'écriture.

Eh bien, l'explication cohérente et un mode d'emploi me sont arrivés, il y a quelque temps, par le biais de livres sur la *création délibérée.* Mon amie Lise m'a d'abord parlé d'une vision emballante véhiculée aux États-Unis par un grand nombre de best-sellers. Elle avait été particulièrement touchée par les enseignements du collectif Abraham. Des enseignements livrés par voie de channeling et mis en texte par Esther (le *channel*) et son époux, Jerry Hicks, un couple très près de Neale Walsch. Puis, mon amie m'a raconté ses premiers pas à elle sur la voie de la création de son propre présent, ses exercices, ses efforts, ses espoirs, ses impatiences. J'ai vu là une autre coïncidence offerte par la Vie. J'ai été attirée. Je me suis acheté les livres d'Abraham et d'autres du même courant[118], que je lis à petites doses et qui répondent effectivement à beaucoup de mes questions et de mes attentes. J'avoue avoir un faible pour les œuvres d'Abraham, à caractère plus spirituel. Elles me remettent dans l'énergie des *Conversations avec Dieu.* Elles me touchent et m'inspirent particulièrement.

Au départ, je dois l'avouer, un doute a plané dans mon esprit. Des collectifs d'entités célestes, j'en avais vu d'autres. Des enseignements par channeling céleste aussi. Les sectes nous en fournissent tous les jours. La mienne, de triste mémoire, et beaucoup d'autres,

---

118 Abraham, **Le pouvoir de créer**, Montréal, Ariane, 2004, 224 p.
  Abraham, **Créateurs d'avant-garde**, Montréal, Ariane, 2006, 352 p.
  Grabhorn, Lynn, **Excusez-moi, mais votre vie attend**, Québec, Éditions AdA, 2004, 347 p.
  Losier, Michael J., **La loi de l'attraction**, France, Les éditions des 3 monts, 2006, 165 p.
  Vitale, Joe, **Le facteur d'attraction**, Québec, Un monde différent, 2006, 288 p.

très actuelles et très actives. Et les gourous de tout acabit aussi. Je sais cependant, maintenant, qu'il y a de tout dans l'Invisible, du meilleur et du pire. Que tout coexiste, dans l'énergie comme dans la matière. Et que tout bouge, que tout évolue, au Ciel comme sur la terre. C'est à la vibration et au discours que l'on reconnaît l'élévation d'une pensée, d'un courant de pensées ou d'une vision du monde. Je n'ai eu qu'à porter les livres d'Abraham à mon plexus solaire et à mon chakra du coeur pour en percevoir le niveau vibratoire et qu'à les parcourir pour ressentir une intense émotion. Et cette émotion avait pour nom Espoir. J'ai choisi de faire confiance...

Encore une fois, je ne vais pas vous résumer tout ce que j'ai lu ni en faire pour vous l'analyse détaillée. Vous pouvez lire ces ouvrages vous-mêmes s'ils vous attirent. Mais j'aimerais partager avec vous quelques-unes des lois qui fondent leur approche et l'espoir qu'ils suscitent en moi. Le collectif Abraham part de loin, mais de choses déjà connues et que plus personne, ou presque, ne conteste aujourd'hui grâce à la physique quantique.[119] L'Univers serait un vaste champ de conscience qui se crée en se densifiant. Nous serions issus, ainsi que notre monde physique, de ce champ de conscience ou d'énergie pure. Nous sommes donc des êtres d'ordre vibratoire d'abord, même si nous affichons des composantes physiques qui, seules, sont visibles. Nous sommes en fait des émanations, voire des extensions de l'Énergie Source ou de la Conscience divine. Et c'est à ce titre qu'on peut dire que nous sommes Dieu, que nous portons les gènes de Dieu. C'est à ce titre que nous participons de Dieu et que nous participons à la création divine au quotidien. Nous créons, oui ! Même que nous ne pouvons nous empêcher de créer. Et nous créons, comme Dieu, par la pensée, par le pouvoir d'attraction et de matérialisation de la pensée. Nous avons toujours créé de cette manière, mais sans en être conscients. *Par défaut*, pourrait-on dire. Nous avons créé nos corps, nos vies, nos misères, nos maladies, nos guerres, notre réalité tout entière. Et nous sommes entièrement responsables de notre réalité, puisque nous avons choisi, en tant que parcelles divines, de descendre dans la matière dotés du libre arbitre.

---

119 Pour une exploration sensible et intelligente de cette approche scientifique, il faut lire **What the Bleep Do We Know ?** de Arntz, Chasse et Vicente, traduit en français sous le titre **Que sait-on vraiment de la réalité ?** et publié chez Ariane en 2006. Le DVD tiré du livre est également disponible en français.

Mais ce qui est merveilleux, selon les enseignements d'Abraham, c'est de savoir que nous pouvons changer notre réalité en modifiant nos pensées. Nous pouvons recréer notre ADN, notre vie, notre santé, notre bonheur, voire notre monde. Peut-être savez-vous déjà qu'il existe dans l'Univers une loi fondamentale qui est au plan énergétique ce que la loi de la gravité est au plan physique et qui a elle-même des effets sur le plan physique. Il s'agit de la loi de l'attraction qu'Abraham explique de cette façon : « Chaque pensée dégage une vibration et émet un signal, lequel attire à lui un signal correspondant. »[120] En d'autres mots, au plan subtil, ce qui se ressemble s'assemble et se répand. En d'autres mots, nous pouvons maintenant affirmer : « Oui, le battement d'ailes d'un papillon au Brésil peut provoquer une tornade au Texas. »[121] Il s'agit d'abord d'un phénomène électromagnétique. Nous sommes des récepteurs-émetteurs de signaux. Nous attirons les signaux des autres qui renforcent les nôtres. Nous relayons nos signaux aux autres et amplifions les leurs. Si nous sommes nombreux sur la même fréquence, les signaux peuvent aller très loin et engendrer une très grosse *tornade*... C'est sur cette loi d'attraction que repose le pouvoir de la pensée.

Ce concept de pouvoir d'attraction de la pensée n'est certes pas nouveau sous le soleil. Il a été connu des occultistes de tous les temps. Il a été appliqué par de nombreux initiés, en Occident comme en Orient. Il est au cœur du New Thought Movement qui s'est développé aux États-Unis à la fin du XIXième siècle. En 1906, un représentant influent de ce mouvement, W.W. Atkinson, a consacré à la loi d'attraction un impressionnant article qui contient tout ce que nous en savons aujourd'hui et qui va inspirer de nombreux ouvrages tout au long du XXième siècle.[122] Au Québec, c'est à travers les livres d'un autre porte-parole du New Thought, Joseph Murphy, que la loi de l'attraction a surtout été véhiculée. Si vous êtes de ma génération, vous ne pouvez pas ne pas avoir entendu parler de la fameuse *pensée positive* que je boudais à l'époque, et du pouvoir du subconscient.

---

120 Abraham, **Créateurs d'avant-garde**, op. cit., p. 25.
121 *L'effet papillon* a été découvert en 1972 par le météorologue Edward Lorenz.
122 Atkinson, WilliamWalker, *Thought Vibration or the Law of Attraction in the Thought World*, **The New Thought Magazine**, 1906. La version intégrale de l'article est disponible sur internet à l'adresse suivante :
     http://gitacademy.tripod.com/GodsinTraining/ThoughtVibration.htm

Mais, depuis le tournant du XXIième siècle, c'est comme si on avait redécouvert... LA LOI. Elle fait couler de plus en plus d'encre chez nos voisins du Sud. Tout le monde y va de ses révélations, de ses découvertes, de son témoignage. C'est comme une vague de fond. C'est dans cette vague que s'inscrivent Abraham et la création délibérée, de nombreux auteurs déjà nommés et d'autres que je n'ai pas encore lus. C'est dans cette vague que s'inscrit aussi Rhonda Byrne avec son DVD *The Secret* et le livre tiré de son film.[123] Le DVD a d'abord été diffusé par le biais d'internet. Il a obtenu une très grande couverture médiatique et a fait fureur aux États-Unis. Depuis 2007, *Le Secret* est disponible en français au Québec et le moins qu'on puisse dire, c'est qu'il fait parler de lui...

Pour ma part, avant ce chapitre, je n'ai jamais évoqué explicitement la loi de l'attraction. J'ignorais son nom jusqu'à mes lectures récentes. Mais, dans mon premier ouvrage et depuis le début du deuxième, je ne cesse de vous parler de l'égrégore qui est la grande manifestation de ce pouvoir d'attraction magnétique de la pensée. Les auteurs du Nouvel Âge que je fréquente depuis plus de vingt-cinq ans traitent abondamment du phénomène. Daniel Meurois et Anne Givaudan ont décrit pour nous l'égrégore et des égrégores dans leurs œuvres. Anne a même publié en 2003 un livre sur les formes-pensées[124] et leur pouvoir de fusion et d'association en égrégores. Elle décrit, par de nombreux exemples, l'effet parfois dévastateur de nos pensées et de nos émotions sur notre santé et sur notre environnement.

C'est également à cette loi de l'attraction et à la formation d'égrégores que Gitta Mallasz réfère quand elle dit que la guerre prend inévitablement naissance dans un « champ de bataille invisible », c'est-à-dire dans la pensée et dans des émotions négatives et collectives agglutinées en masses non visibles, mais extrêmement

---

123 Rhonda Byrne a découvert le secret de la loi de l'attraction en 2004, en lisant l'ouvrage de Wallace D. Wattles, **The Science of Getting Rich** qui remonte à 1910. Emballée, elle s'est donné la mission de répandre « Le Secret » sur la planète entière par le biais d'un film. Elle s'est cependant aperçue, à travers ses recherches, que ce secret était déjà connu de nombreux penseurs, anciens et contemporains. Elle a alors fait appel aux contemporains et son DVD est largement basé sur le témoignage fort éclairant de ces philosophes, physiciens, spécialistes du développement personnel, etc.

124 Givaudan, Anne, **Formes-Pensées.** Découvrir et comprendre leurs influences sur notre santé et sur notre vie., France, Éditions S.O.I.S., 2003, 224 p.

contaminantes (voir chapitre VI). Mallasz ajoute cependant que les guerres pourraient aussi se défaire dans l'Invisible par des pensées constructives et des désirs collectifs de paix. Ainsi, l'attraction joue dans les deux sens. En santé, par exemple, autant la pensée maladie attire la maladie dans le plan physique, autant la pensée santé peut engendrer la guérison sur le même plan. Kishori Aird, elle, nous fait voir l'application individuelle et positive de la loi de l'attraction quand elle décrit le pouvoir de l'intention dans le processus de guérison. Elle fait même de cette loi la base et l'outil de la reprogrammation cellulaire. Encore une fois, tout se tient.

Je savais donc que la pensée pouvait créer et qu'elle pouvait être dirigée. Ma petite Anne créait déjà son avenir, dans son conte, lorsqu'elle me racontait ses choix de carrière et qu'elle me disait quoi écrire pour « faire arriver les choses »... Quant à moi, je l'ai dit et répété, mon travail d'écriture a toujours eu pour objectif ultime de me créer une nouvelle réalité, celle de la santé et du bonheur. Ce que je ne savais pas toutefois, c'est que toutes mes pensées étaient des aimants et que certaines pouvaient bloquer mes efforts de changement en attirant le contraire de ce que je cherchais. J'ignorais, parallèlement, que la création était un travail de tous les instants et qu'elle reposait sur la volonté. Il faut plus que créer. Il faut *re-créer*. Et Abraham nous dit comment : « Le seul moyen de désactiver consciemment une pensée est d'en activer une autre. »[125] Ce qui veut dire qu'il nous faut choisir nos pensées, ou les rechoisir si celles qu'on a nous sont nuisibles. C'est la base de la transmutation. Et c'est tout un programme !...

Ce que je ne savais pas non plus à l'époque, c'est que nous pouvions, de la même manière, désactiver nos vieilles pensées, émotions, croyances et même... nos mémoires anciennes. J'ignorais que nous pouvions transmuter toutes nos pensées, voire toute notre histoire dans le présent. « Votre point de pouvoir se situe dans le présent. »[126] nous dit Abraham qui se range ainsi aux côtés d'Eckhart Tolle et même de Kryeon. Et il explique : « car même si vous pensez au passé, au présent ou à l'avenir, vous formez chacune de ces pensées à l'instant même. La vibration et la pulsation émanant de votre

---

125 Abraham, **Créateurs d'avant-garde**, op. cit., p. 40.
126 Ibid., p. 272.

être ont leur existence dans l'instant présent. »[127] Je comprends par là que plutôt que de récurer le passé comme je le fais depuis si longtemps, j'aurais pu changer sa vibration en élevant la vibration du présent. Le « Pouvoir du moment présent » irait jusque-là... Je saisis mieux le concept, même si je crois toujours, pour les raisons que j'ai invoquées plus haut, en l'importance de nettoyer, voire de déminer le terrain, avant de construire un nouvel édifice...

Ce que j'en déduis par contre et que j'accepte plus facilement, c'est que la parole, l'écriture, l'action, voire les rituels, même issus des meilleures intentions, ne réussissent à reprogrammer la réalité que s'ils sont consciemment et constamment soutenus par l'élévation de l'énergie créatrice, c'est-à-dire des vibrations électromagnétiques qui alimentent le plan physique. Ça m'amène à comprendre la naïveté de certains vers dans mon poème *Le bonheur et moi*, au chapitre III, poème par lequel je croyais avoir choisi délibérément le bonheur.

> **Tu croyais que le bonheur allait venir**
> **comme un voleur**
> **et te prendre malgré toi ?**
> **[...]**
> **Non, ma grande, le bonheur, ça se prend**
> **Tu n'as qu'à être heureuse puis, VLAN !**

Il faudrait peut-être que je le retouche, celui-là aussi ! Bien sûr, le bonheur ne vient pas à nous et en nous comme un voleur. Encore faut-il le choisir. Mais même le choisir ou le prendre d'un coup ne suffit pas. Il nous faut le façonner, l'attirer sans cesse en nous et l'entretenir. Il nous faut le nourrir et s'en nourrir. Je sais aujourd'hui que le bonheur, ça se cultive. Ça s'active, dirait Abraham. Et ça s'active comme la pensée et par la pensée. Consciente et continue. Mon amie Lise appelle ça *l'ascèse du bonheur*. Votre première réaction ressemblera sans doute à la mienne : Oh mon Dieu, que ma divinité intérieure me vienne en aide !...

Justement, notre moi divin est là et il n'y a pas à paniquer. Ce n'est pas avec notre seule volonté humaine que nous pouvons changer

---

127 Idem.

ou recréer nos pensées. C'est avec notre Moi supérieur qu'Abraham, lui, appelle notre Être intérieur ou notre Système de guidance. Et cet Être intérieur est vibratoire. Il habite notre corps énergétique le plus subtil et il est là pour nous aider. Comment ? Résumons le processus. Nous créons en façonnant l'énergie. Pour façonner délibérément l'énergie et attirer une réalité meilleure, il nous faut émettre des ondes magnétiques plus élevées. Et pour ce faire, il nous faut substituer à nos pensées négatives (la tristesse, la colère, la rancœur, la peur, le doute…) des pensées positives, c'est-à-dire de fréquence vibratoire plus élevée (la joie, la confiance, le lâcher-prise, le pardon, la compassion…). C'est ce que j'appelle « choisir nos pensées ». Vous allez tout de suite me rétorquer qu'on ne peut sans cesse être à l'affût de nos pensées, que ça génère un stress invivable et qu'il y a de quoi rendre fou ! Peut-être avez-vous raison, mais…

Mais c'est là que notre système de guidance entre en jeu. Et il se sert de l'émotion. La pensée s'accompagne naturellement d'émotions et, selon Abraham qui simplifie grandement les choses dans son dernier ouvrage[128], il n'y a que deux sortes d'émotions : les agréables et les désagréables. Alors, plutôt que de traquer sans cesse nos pensées pour en faire le tri, Abraham nous suggère d'identifier l'émotion suscitée par la pensée. Par exemple, si j'ai l'intention de me venger de quelqu'un ou encore d'abandonner un petit animal sur le bord de la route pour m'en débarrasser, je dois m'arrêter et me laisser sentir l'émotion ou le sentiment qui monte. Puis, me poser la question : Quelle est la sensation que je ressens au creux de mon estomac (ou de mon plexus) ? Agréable ou désagréable ? Si c'est le malaise qui monte, c'est que mon intention est inadéquate et que je m'apprête à créer de façon inappropriée. Cette création, on le sait, laisserait des traces dans mon énergie et dans celle du monde entier. Je dois changer de cap et chercher les intentions qui créeront la joie en moi.

N'est-il pas merveilleux ce système de guidance émotionnelle ? Il ne fera pas tout à notre place cependant. Il faut y mettre du sien et du temps. Il nous faut vouloir. Il nous faut nous responsabiliser et nous entraîner. Nous entraîner à la conscience continue, je dirais. Il nous faut d'abord apprendre à stopper le mental et les jeux d'illusion

---

128   Hicks, Esther et Jerry, **La loi de l'attraction**, Paris, Guy Trédaniel, 2008, 216 p.

de l'ego. L'humilité est de mise. Il nous faut surtout nous entraîner à permettre à l'émotion de se manifester et de jouer son rôle. Tant de gens étouffent leurs émotions et ne fonctionnent qu'avec leur cerveau gauche.

J'ai longtemps été de ceux-là, un cerveau sur deux pattes. Éviter de sentir, c'est parfois éviter de souffrir… Mais je peux témoigner que ça ne fonctionne que pour un temps. Jusqu'à ce que le corps proteste et tombe malade. Aujourd'hui, je m'entraîne. Je tente de m'exercer à reconnaître de plus en plus rapidement mes pensées et émotions négatives et ce, sans me noyer dans la culpabilité ou le découragement. Puis, par un virage volontaire, je désactive ces pensées et émotions et vais me brancher au pôle opposé, évidemment plus élevé sur l'échelle vibratoire. Abraham appelle ça « faire le pivot ». Par exemple, quand je me surprends en train de juger quelqu'un, que ce soit un proche, un ami ou le président des États-Unis, je fais délibérément marche arrière. Je me dis : « J'aimerais qu'il se comporte autrement. Mais, il est libre. Il a le choix de son chemin, lui aussi. » Et, comme je sais que tous les chemins mènent à notre Dieu intérieur, je l'entoure de lumière et lui souhaite bonne chance. Abraham nous recommande, à la toute fin de *Créateurs d'avant-garde*, de ne pas être trop dur avec nous-même. Alors pourquoi serions-nous dur avec les autres ?…

Autre exemple, dès que je m'aperçois que je suis triste ou défaitiste, je choisis de me rappeler, de revivre ou même d'imaginer un moment joyeux, un succès, une émotion magique et je me colle à cette vibration. C'est ainsi que les petits bonheurs quotidiens peuvent servir à nous rapprocher du Bonheur, si on les garde en mémoire et si on sait se les rappeler le moment venu. Mais il y a plus efficace encore. Quand je veux vraiment me coller au Bonheur, j'arrête tout, je m'assois confortablement et je prends quelques longues respirations pour faire le vide, me sentir bien et entrer en état modifié de conscience. Dans cet état où le cerveau est au ralenti, ma fréquence vibratoire s'élève rapidement et je vais rejoindre mon Être intérieur. Avec lui, je touche la pulsation du Bonheur et, en quelques instants, je trouve la plénitude, je dirais la plénitude de l'Instant. J'appelle ça prendre des bains de Bonheur. Ensuite, je peux reprendre le quotidien, sereine et joyeuse. Ne l'oublions pas, le Bonheur s'alimente par des vibrations de Bonheur. Le Bonheur carbure au Bonheur…

Nous pouvons tout obtenir, semble-t-il, par la pensée dirigée, à condition qu'elle soit soutenue par des vibrations élevées. Nous pouvons obtenir tout ce que nous considérons être les composantes du bonheur humain: l'abondance, le succès, l'amour, la santé, la célébrité. Et bien plus encore à des niveaux plus subtils ou plus spirituels. Il s'agit de nous exercer, comme nous venons de le voir, à faire pencher la loi de l'attraction en notre faveur. Mais il nous faut aussi apprendre à demander, à diriger nos requêtes vers l'Énergie Source. Théoriquement, c'est tout simple. Abraham nous indique trois étapes dans le processus de création délibérée. La première repose sur nous et consiste à exprimer la demande de façon adéquate. Après nous être élevé vibratoirement, il nous faut demander positivement. Il ne faut jamais partir du manque dans la formulation de notre demande, mais plutôt exprimer le désir de plénitude. Par exemple, « Je désire l'abondance. » et non « Je veux en finir avec la pauvreté. » La pensée du manque attire le manque… La deuxième étape est la responsabilité de l'Univers ou de l'Énergie Source. Elle consiste à répondre à la demande. Et il semble que tout nous soit accordé tôt ou tard et d'une façon ou d'une autre, selon la pulsation de la demande. La troisième étape repose à nouveau sur nous et elle consiste à permettre, à accueillir la réponse en nous. C'est cette étape qui est la plus laborieuse.

Au début surtout, car il y a des résistances. Celle de la peur. Celle des croyances en des valeurs absolues. Celle des conditionnements anciens, voire génétiques ou karmiques. Celle de la force d'inertie et combien d'autres encore… Abraham parle ici de la loi d'autorisation ou de consentement. Dans son dernier ouvrage, il a rebaptisé cette loi l'Art de permettre. Comment faire pour consentir, pour faire fondre nos résistances ? Lynn Grabhorn, une héritière spirituelle d'Abraham, ajoute des étapes au processus. Dans son livre témoignage *Excusez-moi, mais votre vie attend*, elle nous dit qu'il faut d'abord traiter l'appréhension (la fameuse peur) qui constitue la première résistance derrière tout désir. Elle nous suggère de commencer par identifier l'appréhension et de travailler avec le désir qui se cache sous l'appréhension. Et elle nous incite à activer fortement l'émotion du désir, à nous immerger dans l'émotion du désir avant de faire la demande. Pour moi qui connais bien la peur et l'appréhension, je crois que ce sont là des étapes utiles.

Joe Vitale, un ami d'Esther et de Jerry Hicks, qui a participé au DVD *The Secret*, colle encore davantage à l'émotion dans son processus de demande. Dans son livre *Le facteur d'attraction*, il ajoute lui aussi des étapes. Il nous conseille de faire nos demandes par écrit. De dire d'abord ce que nous ne voulons pas, puis d'affirmer ce que nous voulons. Il se démarque ainsi d'Abraham. Il s'en démarque aussi en ce qu'il propose de nettoyer nos croyances anciennes et notre ADN avant de nous mettre à la création consciente. J'ai lu son volume tout récemment et je ne vous cacherai pas que je me suis sentie très près de sa vision. D'autant qu'il a, comme moi, goûté du gourou et qu'il en pense la même chose que moi... Mais Vitale met surtout l'accent sur l'énergie que nous devons activer pendant le processus de demande. Il nous suggère de sentir la demande comme déjà accordée, de faire confiance à notre divinité au point de nous mettre instantanément en mode gratitude et de lâcher prise sur les résultats. Et Rhonda Byrne et ses amis nous font des recommandations assez semblables dans *Le Secret* : porter la joie en tout temps, accorder une confiance absolue à l'Univers, s'abandonner, remercier, remercier, remercier... C'est par ces dispositions intérieures que le processus devient zen et qu'il élève l'énergie de la demande.

Chopra va dans le même sens et élargit le débat dans *Les sept lois spirituelles du succès*[129]. Parmi ces lois : le non jugement, la gratitude pour ce que l'on a déjà reçu, la méditation quotidienne, la responsabilisation, le don, le détachement. Et il va encore plus loin dans *Le livre des Coïncidences* où il nous recommande, pour voir nos désirs se réaliser, de pacifier d'abord notre agitation émotionnelle (c'est-à-dire, encore une fois, de s'abandonner à l'Instant), mais aussi de faire corps avec le cosmos et d'harmoniser intention individuelle et Intention Universelle. Je suis particulièrement d'accord avec ce dernier point et je crois que toutes ces dispositions sont des préalables au succès du processus.

Je me permets d'ajouter à ces dispositions préalables. Pour créer, me dit Ghislain, il faut croire en la magie du monde. Il a raison. Il faut partir à la recherche du *Papillon bleu*. Il nous faut retrouver notre âme d'enfant. J'en suis consciente depuis longtemps et nous y reviendrons car l'épilogue porte sur ce thème. Mais j'ajouterais qu'il nous faut aussi nous conditionner à la transformation. Pour changer, il faut

---

129   Chopra, Deepak, **Les sept lois spirituelles du succès**, Paris, J'ai lu, 1995, 112p.

être prêt au changement. Il faut être prêt à lâcher prise sur nos principes, nos valeurs et nos attitudes. Prêt à passer du rôle de victime à celui de créateur. Prêt à changer de niveau de conscience et à nous mettre à l'écoute de l'Intention Universelle. La plus grande résistance m'apparaît être non seulement la peur tout court, mais la peur du changement. Il nous faut donc demander la grâce de ce changement, l'appeler consciemment et délibérément. Pour moi, ça devrait être là la première étape...

Il y a des étapes et il y a aussi des outils. Tous les bouquins nés de ce courant nous en donnent à profusion. Je ne peux vous les présenter tous. Vous les découvrirez, vous en adopterez et vous en écarterez. C'est à vous de jouer. Pour ma part, j'ai retenu, d'Abraham surtout, quelques suggestions que j'adapte et que je combine au besoin. Je médite. Je pratique le « têtc-à-queue » ou le pivot, comme je viens de le décrire, et ça change déjà ma vie. Ça m'assouplit. Ça bouscule mes certitudes... Je tiens pour le moment un journal des aspects positifs de mes journées et j'aime bien. Ça me permet de reconnaître et de savourer les bons moments et les petites victoires et surtout de vibrer à leur fréquence. Ça me permet aussi de noter mes prises de conscience et d'activer, en moi, l'estime de soi. Bref, ça me permet de m'exercer au bonheur. De plus, je me suis acheté tout récemment un joli coffre à bijoux que j'ai converti en *boîte de création magique*. J'y dépose mes demandes et mes scénarios virtuels de transformation. Cela m'aide à entrer dans mon Atelier de création intérieur et à émettre des intentions claires et senties.

De plus, comme je viens de lire enfin le dernier livre d'Esther et de Jerry Hicks sur la loi de l'attraction, j'ai de nouveaux outils. Cet ouvrage, que Neale Walsch porte aux nues dans sa préface, approfondit les grandes lois de l'Univers et propose de nouvelles avenues de création pour moi plus alléchantes. Entre autres, « l'Intention par Segment » dont je n'avais encore jamais entendu parler et que je trouve géniale. Cette méthode consiste à découper notre journée par tranches d'activités et à émettre une intention pour chaque segment (par écrit si possible) plutôt que formuler des demandes globales et forcément nébuleuses parce que trop nombreuses. Elle assure plus de précision et d'efficacité et procure l'excitation de voir des résultats rapides. Surtout, elle permet de briser les vieux *patterns* du mental et d'éviter de créer *par défaut*.

J'ai l'impression qu'avec tous ces outils, j'ai de l'équipement de création et du boulot pour les trente prochaines années... Je ne suis encore qu'au début de ce chemin. Je n'ai pas tout lu. Je ne comprends pas tout. Je suis loin d'avoir tout intégré. J'y vais lentement. Je ne veux pas tomber dans le piège de la performance spirituelle, si tentante au début. Je ne veux pas m'emballer, puis me dégonfler... Je ne veux pas non plus provoquer de résistances inutiles. Pour déjouer mes résistances, élever mon taux vibratoire et attirer le meilleur, je développe parallèlement des pratiques personnelles, pratiques qui ne sont d'ailleurs pas si nouvelles pour moi. Des mesures préventives d'abord. Je tourne le dos à la « tragédie grecque »... J'évite les films violents, la musique de type *hardcore*, les romans noirs, les séries lourdes à la télé, les reportages sur les tueurs en série et, autant que faire se peut, les lieux et les gens négatifs. J'ai le droit de choisir. J'ai le droit de fuir les basses vibrations... Mais surtout, j'emploie des méthodes constructives. Je m'entoure de beauté. J'ai une coquette maison que je pare de tableaux (tel celui de Clarisse), de pierres, de cristaux, de plantes vertes... Des choses qui vibrent et qui me font du bien. J'enjolive mon terrain d'un mini-potager, d'arbres, de plantes, de fleurs et de petites sculptures que je fais moi-même et qui me parlent. Je m'adonne à des pratiques de sons sacrés avec mes amies et à des séances de contemplation en pleine nature, dans ma cour, dans le parc ou dans le boisé voisin. Ça me donne l'impression de vibrer avec la Création, de me fondre à l'Énergie Source. C'est merveilleux !

Je mets beaucoup d'espoir dans ce processus de création délibérée. Je sais maintenant qu'après avoir tant travaillé à désamorcer mon passé, je dois travailler à créer mon présent. Et je sais que, s'il y a pour moi une façon de guérir mes cellules, de reprogrammer mon ADN à la santé et au bonheur, c'est en attirant à moi, par le choix de mes pensées, la vibration de la Santé et du Bonheur. Vous avez le droit de dire non à ce chemin, de garder le vôtre ou d'en adopter un autre. Vous avez le droit de trouver cette démarche, ou toute autre démarche, difficile, trop difficile peut-être, et d'attendre que la masse critique fasse bouger les choses et vous entraîne dans le changement.[130] Moi, pour

---

130 Kryeon nous rappelle dans une communication toute récente qu'il suffit de un demi de 1% de la population mondiale pour purifier les énergies de la planète, modifier l'ADN de l'humanité et ramener la paix et l'espoir sur la terre. Quant au reste des humains, il semble que, sans même qu'ils en soient conscients, leur Moi supérieur autorise le changement. Pour plus de détails, lire la première partie de **Au delà du voile des illusions et de la confusion**. 2008, l'année de l'Unité (propos recueillis par Martine Vallée), Montréal, Ariane, 2007, 318 p.

ma part, je veux m'inscrire dans le changement. Et je considère que cette démarche est une invitation au changement, au dépassement de mes peurs et de mes limites et à l'élargissement de ma conscience. Que c'est une invitation à revenir à ma vraie nature, à mes vibrations originelles d'enfant de Dieu et de créateur divin. Bref, que c'est une invitation à devenir ce que Je suis. Je choisis d'accepter l'invitation et de faire confiance à ma Force intérieure.

Vous avez aussi le droit d'avoir des réserves face à ce processus. Abraham ne s'en formalisera pas, lui qui pratique et qui prône l'Art de permettre. De permettre non seulement notre propre création, mais aussi celle des autres, qui peut s'avérer fort différente de la nôtre et qui assure, paraît-il, l'équilibre du monde... Certains, même s'ils se sentent attirés par la création délibérée, reprochent à Abraham et aux autres de faire fi de notre réalité terrestre, de notre condition humaine, de notre dualité et de ses causes. Il est vrai que, dans les livres sur la loi de l'attraction ou sur la création délibérée, on ne parle en général ni d'Ombre, ni de Mal, ni de chute, ni de karma, ni même de programmation cellulaire ou d'héritage génétique. Sinon pour dire que ces concepts sont dépassés ou qu'ils sont le fruit de nos croyances plutôt que la réalité de l'Univers. Comme dans le cas de l'enfer, je suppose, que selon le Dieu de Neale Walsch, nous créons dans l'au-delà parce que nous y croyons... Je ne crois pas cependant que ces auteurs ignorent ce que nous vivons ou ce que nous croyons vivre sur la terre. Ni qu'ils s'en moquent. Comme Abraham, ils croient que « L'attention à Ce-qui-est accroît Ce-qui-est. »[131] Alors, ils prennent le parti d'être positifs de façon absolue. En choisissant leurs propos, en ne parlant ni de nos carences ni de notre dualité, ils ne font qu'obéir à la loi de l'attraction elle-même.

Vous le savez déjà, faire du sensationnalisme avec les horreurs de la guerre, c'est alimenter l'égrégore de la guerre. Alarmer la population avec les risques de grippe aviaire ou d'autres épidémies, c'est nourrir la peur et créer la pensée qui va un jour se matérialiser en pandémie. Parler à tout vent des cataclysmes attendus, c'est modeler l'énergie des cataclysmes. Bref, s'adresser aux humains comme à des victimes de forces extérieures incontrôlables, c'est les ancrer dans des énergies de victimes irresponsables. Or, en avant-propos de *Créateurs d'avant-garde*, le docteur Wayne W. Dyer nous dit : « Lorsque vous

---

131 Hicks, Esther et Jerry, **La loi de l'attraction**, op. cit., p. 107.

changez votre façon de voir les choses, les choses que vous regardez changent. »[132] Et il n'est pas le premier à dire ça. Les grands maîtres le disent depuis longtemps. Alors, peut-être est-il plus efficace de visualiser la planète belle et en santé, de l'inonder d'amour et de poser des gestes écologiques au quotidien que d'imaginer des scénarios catastrophes ou de crucifier les pollueurs. Il n'est pas trop tard. Tout est affaire de choix ! Le choix de la lunette et le choix de la pensée créatrice…

Vous avez également le droit de penser que trop d'auteurs ou de *promoteurs* de la création délibérée mettent l'accent sur le bonheur individuel plutôt que collectif et sur la réalisation d'objectifs plus matériels que spirituels, comme l'opulence, la gloire, le pouvoir. Moi-même, j'aimerais qu'on parle davantage de la loi de l'inclusivité et du principe de responsabilité dans le travail de création spirituelle, comme le font Chopra et La Flèche. Mais Abraham, lorsqu'il affirme que nous avons droit à tous les cadeaux que nous offre l'Univers et qu'il n'y a pas à rougir d'être riche et en santé, sait pertinemment que c'est lorsqu'on est riche et en santé qu'on peut le mieux aider ses semblables. Et, lorsqu'il dit qu'être heureux soi-même est le plus beau cadeau que l'on puisse faire aux siens et à l'humanité, il le fait au nom du même principe de responsabilité. Et il a raison. Le bonheur, c'est comme la C. difficile, ça se propage. Ça crée un nuage subtil, un champ d'énergie, qui grossit, voyage et « contamine ». Imaginez une pandémie de Bonheur et ses effets sur notre terre des hommes. Quel ensemencement !

Il va de soi que nous faisons face à un changement de paradigme. Nous sommes loin de Sisyphe. Nous sommes loin, même, des grands saints et de certains grands maîtres. Et les tenants de la création délibérée, même les plus spirituels, s'éloignent des enseignements religieux traditionnels. Nous savons tous que la voie proposée n'est pas celle de la petite Thérèse de l'Enfant Jésus, de Mère Teresa, de l'abbé Pierre, ni même celle de Gandhi ou de Gitta Mallasz qui ont choisi la souffrance, le combat, le service ou le sacrifice comme chemin d'évolution. Je continue de croire qu'il y a plusieurs chemins, que la lutte menée au nom de l'Amour, que la souffrance sublimée par l'Amour, contribuent à alimenter l'égrégore d'amour universel.

---

132 Abraham, **Créateurs d'avant-garde**, op. cit., p. xi.

Mais, je répète ce que j'ai dit plus haut. Peut-être y a-t-il aujourd'hui des voies de réalisation plus légères et plus alléchantes...

Personnellement, la réserve que je garde face à cette démarche, ou plutôt le danger que j'y vois, est celui de la déconnexion. Je parle ici d'élitisme et de fuite. C'est si facile de se croire arrivé, de s'enfermer dans sa bulle, de se retirer du monde et de s'élever dans l'éther. Je ne puis m'empêcher de penser à certains gourous de pacotille... Eh bien, pour guérir et trouver le bonheur, il nous faut vivre sur terre et habiter notre corps. Il nous faut aimer ce corps et le respecter. Le nier ne sert à rien. Et pour élever la matière et guérir le monde, il nous faut vivre sur le plancher des vaches. Il nous faut être présents. Il faut répondre : « Présent ! » Mallasz dirait qu'il faut s'occuper de sa Tâche... Il semble d'ailleurs que Bouddha n'ait pas atteint l'illumination par l'état de transe ou l'ascétisme, mais en quittant ces pratiques pour vivre dans le monde et s'ouvrir au monde. À mon avis, la vertu est dans l'unité et l'équilibre. Et c'est la même chose pour la création délibérée. C'est en nous connectant à la fois à la terre et au cosmos, à l'horizontale et à la verticale, c'est en faisant circuler l'énergie à travers tous nos chakras, y compris le chakra sexuel, c'est en fusionnant en nous le physique et l'énergétique, l'individuel et l'Universel, que nous élevons nos vibrations et que nous pouvons créer le meilleur et transformer le monde.

J'ai eu, je l'avoue, la tentation d'une autre petite réserve en lisant sur le sujet. Ou peut-être est-ce toujours la même petite réserve judéochrétienne. Comme quoi il faut parfois faire table rase de ses croyances anciennes pour créer du neuf... J'ai eu de la difficulté à accepter que, dans ces enseignements, on place le bonheur avant l'amour, c'est-à-dire qu'on ne présente pas l'amour comme la prémisse au bonheur. J'entends ici l'amour inconditionnel, celui qu'on nous a toujours enseigné et que je suis encore portée à considérer parfois comme une condition sine qua non au Bonheur et à l'éveil. Eh bien, il m'apparaît maintenant que l'Amour, dans sa nature profonde, est une résultante du Bonheur plus encore qu'un préalable au Bonheur. En effet, quand on est heureux, comment ne pas aimer ? Comment ne pas s'aimer ? Comment ne pas tout aimer et aimer le Tout ?

Ça m'amène à vous dédier un petit poème sur l'amour que j'ai écrit il y a plus d'une décennie. Ce sera le dernier de cet ouvrage. Il faut bien s'arrêter quelque part... Je cherche encore ce qui a donné naissance à l'émotion de ce poème. Je me souviens seulement que, ce jour-là, j'étais à Sainte-Adèle, en cet endroit béni que j'ai décrit plus haut en vous racontant l'histoire d'Aka. Je me souviens que j'étais avec des amies proches, des sœurs d'âme comme je les appelle. Peut-être ai-je vu un cardinal sur la branche, une famille de canards sur la rivière ou un poupon dans les bras de Josée, ma filleule bien-aimée, mère d'Anne et de Nicolas. Peut-être y avait-il du champagne dans l'air... Tout ce que je sais, à coup sûr, c'est que j'étais bien, que j'étais heureuse, que le Bonheur était là. Et ce qui est monté dans mon âme, à ce moment-là, c'est la vibration de l'Amour. Et ce qui est venu au bout de mon stylo, c'est un Poème-Amour.

Un poème-amour, un amour-poème

Amour de moi, amour de toi, amour de lui, amour d'elle
amour de nous, amour de vous, amour d'eux, amour d'elles
amour de moi-toi, il-elle

Amour de la mésange, enneigée, sous la feuillée qui chante
et du canard-flocon au ventre blanc
et du caillou sous la rivière-frisson
et de la fleur qui s'ouvre dedans, la jolie fleur hibiscus
qui ne s'ouvre que pour l'amour, rose
amour d'elle, amour de moi, amour de vie
amour-Terre, amour-Univers

Amour du vert, tout autour, et du brun, tout en haut, escarpé
et du carré de bleu, là-bas, sous la fumée qui perce le toit
maison blanche, maison jaune, maison de poupée juste à côté
maison en sucre d'orge de Hansel et Gretel
maison d'ici, maison d'amour, maison de l'Amour
amour d'enfants, amour de grands
amour de moi, amour de Lui
amour-matière, Amour-Lumière

Amour de l'eau, amour de l'air
amour de Toi, mon amour-Lumière
amour des Étoiles, là-haut, dans leur coin de ciel-terre
amour-Vie, amour-Dieu, amour-fou, amour-feu, amour-tant-mieux
amour dedans, amour dehors, amour derrière, amour devant
amour tout le tour, ici, là-bas, partout, toujours, amour
amour-moi, amour-toi, amour-Toi-Moi-Il-Elle
amour fou, amour-Tout, amour-Amour
un Poème-Amour, un Amour-Poème,
sous la Lumière qui nous aime d'amour, mon Amour !

Vie je t'aime
Nous je t'aime, vous je t'aime, eux je t'aime
Vie je t'aime
Amour je t'aime, Amour je m'aime
Et vous, je vous aime d'amour, à jamais, mes amours-Amour !...

Ce poème est pour moi un bain d'Amour, une immersion dans l'Amour. Je l'ai toujours senti également comme une semence d'Amour. Aujourd'hui, je vous l'offre en cadeau à la fin de ce chapitre sur le bonheur car, pour moi, il fait la preuve que là où il y a le Bonheur, il y a l'Amour. Je suis même convaincue maintenant que là où il y a le Bonheur, il y a tout le reste : la santé, l'abondance, le succès et... le pouvoir de créer. De fait, je suis de plus en plus convaincue que le Bonheur est l'attribut ultime de Dieu et qu'il constitue l'Énergie créatrice qui engendre les mondes...

Oui, le Bonheur est possible ici-bas et au présent. Il s'agit d'y consentir. Il s'agit d'aller le chercher là où il se trouve, à l'intérieur de Soi. Au creux même de notre ADN divin. Bref, il s'agit de se reconnecter à l'Énergie créatrice et de devenir cette Énergie. Et, une fois qu'on aura créé le Bonheur dans notre vie terrestre, il nous sera tout simple, le moment venu, de faire la transition vers le Bonheur céleste. Si nous pouvons créer notre vie, nous pouvons créer notre mort. Il nous suffira, comme le font les aborigènes australiens décrits par Marlo Morgan et comme le suggère Abraham, de nous laisser glisser, sans douleur, sans stress et sans déglingue, de notre dimension physique à la dimension Énergie pure. Peut-être même pourrons-nous un jour, comme l'affirment certains auteurs et comme le font déjà certains initiés, ne pas quitter la terre, mais élever suffi-samment notre fréquence vibratoire pour faire le passage, avec notre corps physique, dans une dimension plus subtile de la Conscience. Notre corps transfiguré par le Bonheur, notre corps sublimé par l'Amour. Et si c'était ça qui était prévu pour 2012 et le nouveau siècle ? Et s'il n'en tenait qu'à nous que le Plan soit accompli ?...

Alors, pouvez-vous me dire s'il y a encore lieu d'avoir peur ? D'avoir peur de mourir ou... de vivre ? Je ne sais pas encore si j'ai moi-même conjuré toutes mes peurs, mais je sais que je suis en train de créer mon Bonheur, de créer ma Vie et peut-être de créer un Nouveau Monde... Je vous souhaite la pareille. Et sachez que je vous aime d'amour, mes amours-Amour !...

En guise d'épilogue

Histoire de la petite fille qui inventait sa vie

Anne est de nouveau à la maison pour le week-end. Je ne me risque plus à l'appeler « ma petite Anne ». Elle est grande maintenant, à huit ans, bientôt neuf. Elle a de nombreuses copines, des cours de toutes sortes, beaucoup de loisirs et très peu de temps pour sa vieille Lulu. Si j'ai réussi à l'attirer chez moi aujourd'hui, c'est que je lui ai promis, en plus du cinéma et de la Piazzetta, une activité nouvelle. Je lui ai demandé de venir m'aider à finir mon livre, elle qui a tant de talent pour faire évoluer une histoire et... pour faire arriver les choses...

Mon ouvrage, en effet, se termine sur un conte destiné à être le pendant du conte offert en guise de prologue et je voulais avoir les commentaires d'un enfant sur le contenu. Anne est tellement près de la petite fille de ce conte que je ne pouvais recourir qu'à elle. Hier soir, cependant, après une journée plus que chargée, elle n'avait pas le goût d'écouter mon histoire. Son seul désir était d'aller dormir dans la chambre rose, la chambre où Clarisse a élu domicile et où les vibrations sont si caressantes qu'elles engendrent des rêves magiques.

Au petit-déjeuner, bravo, elle se souvient de ma requête !

- Comment je fais pour t'aider à finir ton livre ? Tu veux qu'on raconte une autre histoire ensemble ?

- Non, l'histoire est écrite depuis bien longtemps, bien avant celle qui raconte ta naissance. C'est encore une histoire vraie, aussi vraie que la tienne, mais qui a l'air d'un conte, qui a pris la forme d'un conte. J'aimerais que tu me donnes ton avis sur ce conte.

- Oh oui ! J'aime beaucoup ça donner mon avis aux grands.

- Mais, cette fois, je te demanderais vraiment de ne pas m'interrompre pendant la lecture. Il faut que tu sois très attentive, très concentrée.

- Si tu veux que je me concentre, il faut que tu me fasses participer. Je pourrais pas lire avec toi comme on a fait une fois et me mettre dans la peau d'un personnage ?

- Bonne idée, tu lis comme une pro ! Et ça tombe bien, il y a deux personnages filles dans mon conte, une grande et une petite de trois ans. Veux-tu tenir le rôle de la petite ?

- Je suis beaucoup plus vieille que trois ans, moi, mais... ça me va.

Je ne l'ai pas fait avec Anne, mais pour faciliter votre lecture, je prends le temps de vous dire d'où vient ce conte qui, à l'origine, n'en était pas un. Je me revois dans le bureau de ma psy, il y a quelque vingt-cinq ans. Je suis à demi étendue sur mon fauteuil, le « fauteuil des tortures », comme le surnommaient les clients. Ma nouvelle thérapeute tente de me faire voyager dans mon inconscient. Pour ce faire, elle m'amène, par la détente et un décompte, je crois, dans un état proche de l'hypnose. Puis, elle me commande de descendre dans mon tunnel intérieur. Un tunnel qu'on m'avait dit être parsemé de portes destinées à s'ouvrir une à une pour me livrer les secrets de mon passé.

Je suis quelque peu tremblante. C'est la première fois que je tente une régression. La consigne est : « Lâche prise ! Laisse-toi aller ! Et surtout, dis tout ce qui monte ! » Et je fais une chose que je n'avais encore jamais faite en thérapie. Je m'abandonne. Je laisse aller... Monte alors une sorte d'imagerie mentale étonnante, que j'entends mais que je ne comprends pas, que je ne dirige pas. Une histoire qui sort toute seule de ma bouche et que je laisse couler. Il me semble que ça dure des heures. Quand c'est terminé, je dis timidement à ma psy : « Ça n'a pas marché comme prévu, je m'excuse ! Je crois que j'ai l'inconscient fermé comme une huître... » En guise de réponse, elle me donne une autre commande : « Va-t-en chez toi le plus vite possible et écris tout ce que tu viens de me raconter. » À la maison, le soir, l'histoire émerge sous la pointe de mon stylo, image par image, réplique par réplique, et prend l'allure d'un conte. C'est cette histoire que j'ai lue à haute voix avec Anne et que j'aimerais maintenant partager avec vous.

Il était une fois une petite fille magique

D'abord, il était une fois un tunnel. Un tunnel étrange, inquiétant, que je ne connais pas. Entièrement de roc et tout noir. Et humide. Je marche dans ce tunnel. Longtemps. Je cherche une issue. Mais je ne trouve pas d'issue. Alors je me mets à creuser dans la paroi gauche du tunnel à même le roc et à mains nues, avec mes ongles. Il n'est pas question que je reste prisonnière de ce tunnel à la con. Je dois sortir de là au plus tôt. Heureusement, le roc est friable à cet endroit. Et à force de gratter, je réussis à dégager quelques éclats et de la poussière, beaucoup de poussière. Comme si c'était du charbon. Je l'ai, je suis dans une mine de charbon désaffectée. Du moins c'est logique.

Je travaille longtemps à cette tâche de forçat. Pendant des heures. Le résultat : un creux dans la paroi. Un trou juste assez grand pour permettre à un oiseau d'y loger sa nichée. Je pourrais à peine y passer la tête. En admettant que le mur soit défoncé, ce qui n'est pas le cas. J'ai les ongles usés, les mains en sang. Je suis au bord des larmes et du désespoir. Seul l'orgueil me tient. Si je me laissais aller, je me roulerais en boule sur le sol et je pleurerais à pleins sanglots.

Mais, tout à coup, je sens comme une présence à mes côtés. Je me retourne et quelle n'est pas ma surprise d'apercevoir, à ma gauche, une petite fille accroupie qui s'amuse à faire des châteaux de sable avec la poussière, les granules et les éclats de roc que je dégage de mon mur. Elle a environ trois ans. Elle est blonde et bouclée et ressemble étrangement à une petite fille que je connais pour l'avoir vue quelquefois sur des photos jaunies que ma mère conservait. Interloquée, je lui demande :

- *Qu'est-ce que tu fais là ?*

- *Je joue. Et toi ?*

- *Moi, je travaille.*

- *Pourquoi tu travailles ?*

- *Je travaille à faire un trou dans le mur. Il faut que je sorte d'ici.*

- *Pourquoi sortir d'ici ? On peut jouer à l'intérieur. Viens jouer avec moi !*

- *J'ai pas que ça à faire moi, jouer. Puis c'est malsain ici. C'est noir et humide. Toi-même, tu ne peux pas rester là. Il faut trouver une sortie.*

- *Ç'a l'air bien forçant ta sortie !*

- *Tu connais une sortie plus facile ?*

- *Mais oui. T'as qu'à marcher de ce côté. Tout au fond, là-bas, il y a de la lumière. C'est sûrement une porte.*

Je regarde et ne vois rien.

- *Tu es sûre que tu vois quelque chose ?*

- *Ben voyons ! Ouvre tes yeux comme il faut et tu vas voir !*

Je regarde à nouveau en direction du sud et le noir m'apparaît opaque. Mais je suis tellement fatiguée de gratter et de chercher une issue que je me laisse entraîner par ma jeune amie qui m'a prise par la main et qui trottine à mes côtés, si souple et si enjouée que j'ai de la difficulté à la suivre. Une brise s'est élevée qui nous pousse ou plutôt nous attire. Bientôt, le tunnel s'élargit en une espèce de grotte circulaire, haute d'une dizaine de mètres et ouverte à son sommet. Et c'est de là que vient la brise. Et aussi la lumière. Une lumière blanche, incandescente, qui nous enveloppe. D'étranges rayons qu'on dirait immatériels, divins. Pas étonnant que je n'aie pas vu plus tôt cette lumière. Seuls des yeux d'enfants pouvaient la voir, j'en suis sûre. Sidérée, un peu aveuglée, je mets du temps à percevoir, par l'ouverture, le ciel de même que les fleurs et les herbes qui poussent tout échevelées en bordure.

- *La voilà ta porte !, dit-elle.*

- *Ma porte ? Tu crois peut-être qu'on peut sortir par là ?*

- *Pourquoi pas ?*

- *Mais c'est beaucoup trop haut. Et les parois de la grotte sont toutes lisses. Comment on va faire pour grimper jusque là-haut ? T'as une idée ?*

- *Laisse-moi penser...*

Elle s'assoit alors au sol et tire sa jambe droite sous elle. Le menton dans la main et le coude sur le genou, comme le penseur de Rodin ou presque. Elle médite quelque temps, le temps d'une illumination.

- *Ah, j'ai trouvé. J'ai une idée.*

- *Ah oui ! Laquelle ?*

- *On va se tisser une échelle.*

- *Tu veux dire se tresser une échelle. Et avec quoi ?*

- *Avec nos cheveux.*

- *Avec nos cheveux ? Et tu crois qu'ils sont assez longs pour ça ? Moi, j'ai de tout petits cheveux. Et toi, les tiens, ils sont quand même pas si longs que ça.*

- *Ben voyons ! Des cheveux, ça pousse. Tu vas voir, j'vais les couper et, une fois coupés, ils vont allonger.*

- *Ah bon ! Et comment tu vas les couper nos cheveux qui vont pousser une fois coupés ?*

- *Ben voyons ! Avec mes ciseaux...*

Et elle se met à faire marcher ses doigts comme des ciseaux. C'était évident. Il fallait y penser. De toute façon, je n'ai pas le choix.

- *Bon, bon, vas-y si tu veux...*

Elle se met alors à couper mes cheveux avec les doigts en ciseaux, de sa main droite, et à les recueillir de sa main gauche. Au bout d'une minute, le résultat apparaît au creux de sa main. Une poignée de cheveux noirs, raides et très fins d'à peine cinq centimètres de longueur. Ridicules, ces petits poils qu'elle dépose soigneusement au sol ! Ensuite, elle taille environ vingt centimètres de ses cheveux à elle, blonds et bouclés, qu'elle dépose aussi au sol et qu'elle mêle aux miens. Et là, assise par terre, elle se met au tressage avec la patience et l'adresse d'une fée. Et ça marche ! Nos cheveux, non seulement repoussent spontanément sur nos têtes, mais ils s'allongent au bout des doigts de la petite artisane jusqu'à devenir une longue tresse solide, puis une échelle dorée, parsemée de fils plus foncés.

- Voilà, dit-elle au bout d'une demi-heure à peine. J'ai fini.

Je l'avais regardée travailler les yeux écarquillés. Encore intriguée et délibérément sceptique, je cherche un argument irréfutable, logique et sans réplique cette fois.

- Dis donc. Et ton échelle, comment tu vas faire pour aller l'accrocher là-haut ?

- Ben voyons ! C'est simple. J'vais l'accrocher en bas puis j'vais monter. Elle va s'agripper à mesure jusqu'en haut.

- Ah bon !

Aussitôt dit, aussitôt fait. Elle fixe, près du sol, le premier échelon qui prend instantanément racine dans le roc. Puis, en montant, elle ajuste les autres échelons qui un à un s'agrippent au mur de la même façon. Comme par hasard, l'échelle est juste de la bonne longueur et le dernier échelon s'accroche aux herbes folles, aux vignes et aux fleurs de la prairie qui nous domine.

Une fois en haut, elle se retourne, penche la tête et m'invite.

- Tu peux monter, tu sais ! C'est solide.

Je n'ai pas le choix encore une fois. Je m'engage à mon tour dans l'échelle qui s'avère, ma foi, très solide. Mais lorsque j'arrive au sommet et que je réussis à me hisser dehors en me cramponnant aux vignes du rebord, ma petite amie n'est plus là. Je la cherche des yeux et... je la vois bientôt qui gambade dans un champ où les marguerites sont presque aussi longues qu'elle. J'ai à peine le temps d'explorer des yeux la féérique vallée fleurie qui s'étend devant nous, qu'elle revient me chercher.

- Viens jouer avec moi !

- Jouer à quoi ?

- À n'importe quoi !

- Mais je n'ai plus ton âge moi pour jouer à n'importe quoi !

- Écoute. Ici, c'est la vallée des enfants et, pour avoir le droit d'y rester, tout le monde doit jouer.

Et elle m'entraîne dans un tourbillon de danses, de courses et de cabrioles qui n'en finissent plus. Je la suis, un peu essoufflée, mais détendue et heureuse pour la première fois depuis le début de cette équipée. J'adore cette petite bonne femme qui a l'air à la fois de tout connaître et de ne rien prendre au sérieux. Je serais prête à aller au bout du monde avec elle, à passer toute ma vie avec elle, maintenant que je la connais.

Au bout de quelques heures, qui me sont apparues des secondes, elle s'arrête cependant et me dit d'un ton pensif :

- Tu sais, maintenant je... je vais devoir te quitter.

- Comment ça me quitter ? Mais on vient à peine de se connaître. Et puis, tu ne peux pas me laisser toute seule dans ce champ.

- Ne te fâche pas, tu veux. Je dois partir. J'habite un autre plan.

- Un autre plan ?

- Disons une autre planète.

- Comme celle du Petit Prince ?

- Un peu, oui.

- Et je suppose que tu dois aller t'occuper de ta rose ?

- C'est un peu ça, oui. Mais, crois-moi, je ne te laisse pas toute seule. Lorsque je serai partie, tu n'auras qu'à continuer de jouer et, avant même que tu en prennes conscience, des centaines d'enfants viendront jouer avec toi.

- Mais ce ne sera plus jamais toi !

- Oh, ne t'en fais pas ! Moi, tu sais, je serai toujours avec toi...

J'ai peine à retenir mes larmes. Elle vient me prendre par le cou, me fait un gros câlin, puis se met à marcher en direction du sud. À plusieurs reprises, elle se retourne, m'envoie la main et des baisers soufflés avec la main. Puis, elle disparaît derrière un vallon de petites fleurs violettes.

Restée seule, je me sens encore un peu plus triste. Mais je me souviens qu'elle m'a dit de ne pas m'arrêter de jouer et, plus pour lui être fidèle que par goût, je me remets tant bien que mal à faire des pirouettes solitaires. Quel n'est pas mon étonnement au bout de quelques essais, en me relevant d'une téméraire culbute, d'apercevoir autour de moi une foule d'enfants de toutes les grandeurs et de toutes les couleurs qui font la ronde en riant. Ils m'invitent à danser et m'entraînent en me prenant la main.

Troublée par l'émotion, je ferme les yeux pour laisser mon coeur se calmer. Quand je les ouvre, je constate que mes mains sont toutes petites dans la main des enfants plus grands qui m'ont invitée à danser. J'ai trois ans et le Monde est de nouveau à moi...

Ce récit se veut autre chose qu'un pastiche de Saint-Ex. Il était vraiment, une fois, une petite fille et cette petite fille c'était... c'est moi, rencontrée un jour, au hasard d'un tunnel ténébreux, le tunnel de ma jungle intérieure. Et si cette petite fille est la soeur du Petit Prince, tant mieux ! Ça fait peut-être la preuve qu'il y a en chacun de nous un petit garçon ou une petite fille, prince ou princesse, qui ne demande qu'à éclore et qu'à illuminer notre vie...

Anne ne m'a pas interrompue de toute la lecture. C'est plutôt moi qui, sans le vouloir, lui ai tendu un piège après l'arrivée de la petite aux châteaux de sable.

- Est-ce que tu sais qui c'est, toi, cette petite fille-là ?

- C'est moi ?...

Et, quand elle apprend qu'elle s'est trompée, elle me réplique vivement :

- Tu triches ! On devait pas s'arrêter. Si tu veux que je te donne les bonnes réponses, il faut me laisser lire avant, et poser les questions après.

Et vlan ! La première de classe a réagi. Nous lisons alors d'un trait la suite du conte et, à la fin, elle s'exclame :

- Je le sais maintenant qui c'est la petite fille. C'est la petite à l'intérieur de la grande. C'est ta petite voix en dedans qui essaie de t'encourager à jouer. Je me suis pas trompée tant que ça. C'est comme si c'était moi qui parlais à ton coeur pour te dire de pas avoir peur...

- Non, ma chouette, tu ne t'es pas trompée tant que ça. Tu as compris que nous avions tous, en nous, une petite amie plus sage que nous, une petite fille divine qui connaît toutes les réponses et qui est là pour nous aider.

- Est-ce que j'en ai une, moi, une petite fille comme ça ?

- Bien sûr, et toi, tu es très près de la tienne parce que tu n'as pas eu le temps de l'oublier.

- Mais, dis-moi, pourquoi la tienne elle s'en va à la fin de ton histoire ?

- Parce qu'elle est venue me faire comprendre qu'elle est toujours là, à l'intérieur, et que c'est là que je dois aller jouer avec elle.

- Elle est venue te dire de rester jeune dans ton coeur ?

- Oui. Et elle est venue me donner la clé du bonheur, me montrer comment on crée le bonheur.

- Oh ! J'aime ça, moi, le bonheur !

- Dis-moi, est-ce que tu crois que ça peut arriver, une histoire comme celle-là ? Est-ce que les gens vont y croire ?

- Oh, moi j'y crois ! Il y en a plein, dans mes livres de contes, des histoires difficiles à croire et j'y crois quand même.

- Dans les livres de contes, ça va, mais dans la vraie vie ?

- On dirait, Lulu, que t'as pas compris quelque chose. Les contes, c'est la vraie vie ! Moi, quand je lis un conte, je le vois dans ma tête et je sais que tout est vrai. C'est comme rêver. T'as qu'à fermer les yeux et imaginer tout ce que tu veux dans la vie. Et tout arrive comme tu l'as rêvé...

J'ai reçu là, comme dans le conte du prologue, un cours de création délibérée à la manière des enfants. À la manière de ceux qui croient en la magie. La pensée magique, la vraie, c'est celle-là. C'est de croire, non pas que les choses vont se faire toutes seules, mais que la magie va jouer si l'on sait façonner sa vie avec passion dans son imaginaire et dans son cœur. Si l'on sait rêver sa vie et en faire un conte vivant...

J'ai eu ma leçon. Il faut dire ici qu'Anne a maintenant fait son choix de carrière. Après avoir tant rêvé, à tant de choses, elle s'est branchée. Et c'est du sérieux ! Elle sera *designer* de mode. La musique, la danse et le reste deviendront ses loisirs. Elle dessine, taille et coud déjà des modèles réduits de vêtements qu'elle destine pour le moment à ses poupées. Elle nous parle de son futur atelier. Elle a même inventé le logo de sa compagnie qu'elle colle sur des t-shirts avant de l'apposer à ses propres créations. Elle est presque aussi magique que ma petite fille de trois ans...

Et vous, que pensez-vous des propos d'Anne et de ceux de la petite fille du conte ? Un pur fruit de l'imagination ?... Peut-être. Mais, si c'était ça l'outil de transformation de notre ADN ? Ce n'est pas un hasard si ce conte vient clôturer mon livre et s'il se fait le pendant du premier. Il vous offre une clé à conserver après la lecture. Ce n'est pas un hasard non plus si cette imagerie symbolique m'a été donnée au tout début de ma démarche. Elle est un pur cadeau de mon Être intérieur. Elle me montre la route. Elle me dit tout. Elle contient tout. Le problème et sa solution. Pour vous comme pour moi… Le problème de la séparation d'avec notre divinité et le chemin de la réunification, c'est-à-dire du Bonheur !

Si un jour, vous avez la visite de votre Moi divin qui apparaît sous les traits d'un enfant et qui s'exprime par une vision, un rêve, un conte, ne dites pas : « Ce n'est qu'une illusion ! Je dois redescendre sur terre ! » Ouvrez-Lui la porte. Laissez-Le vous prendre par la main et vous guider. Laissez-Le vous parler à l'oreille…

La parole de votre Ange intérieur, il n'y a que ça de vrai ! Et sachez que c'est Lui qui vous mènera au delà de vos peurs…

Gros câlin de Marie-Lue !

marilue@videotron.ca

Références

Abraham, **Créateurs d'avant-garde**, Montréal, Ariane, 2006, 352 p.

Abraham, **Le pouvoir de créer**, Montréal, Ariane, 2004, 224 p.

Aird, Kishori, **L'ADN démystifié**, Québec, Institut Kishori inc., 2002, 247 p.

Albom, Mitch, **La dernière leçon**, Paris, Pocket, 1998, 188 p.

Arntz, William, Betsy Chasse et Mark Vicente, **Que sait-on vraiment de la réalité ?**, Montréal, Ariane, 2006, 274 p.

Atkinson, WilliamWalker, *Thought Vibration or the Law of Attraction in the Thought World*, **The New Thought Magazine**, 1906.

Bach, Richard, **Un**, Québec, Un monde différent, 1989, 320 p.

Byrne, Rhonda, **Le Secret**, Québec, Un monde différent, 2007, 240 p.

Camus, Albert, **Le mythe de Sisyphe**, Paris, Gallimard, 1942, 176 p.

Carroll, Lee (Kryeon), **Partenaire avec le Divin**, Montréal, Ariane, 1998, 384 p.

Causse-Biscarat, Renée, **Rencontre au centre de soi-même**, Montréal, Ariane, 1988, 196 p.

Châtelet, Noëlle, **La Dernière Leçon**, Paris, Seuil, 2004, 180 p.

Chopra, Deepak, **Les sept lois spirituelles du succès**, Paris, J'ai lu, 1995, 112 p.

Chopra, Deepak, **Le livre des Coïncidences.** Vivre à l'écoute des signes que le destin vous envoie, Paris, InterÉditions, 2004, 236 p.

De Hennezel, Marie, **Mourir les yeux ouverts**, Paris, Albin Michel, 2005, 196 p.

Ende, Michael, **L'histoire sans fin**, Paris, Livre de poche, 1984, 534 p.

Givaudan, Anne, **Formes-Pensées.** Découvrir et comprendre leurs influences sur notre santé et sur notre vie, France, Éditions S.O.I.S., 2003, 224 p.

Givaudan, Anne, **La rupture de contrat**. Message des « suicidés » au monde des « vivants », France, Éditions S.O.I.S., 2006, 195 p.

Grabhorn, Lynn, **Excusez-moi, mais votre vie attend**, Québec, Éditions AdA, 2004, 347 p.

Hicks, Esther et Jerry, **La loi de l'attraction**, Paris, Guy Trédaniel, 2008, 216 p.

Kübler-Ross, Elisabeth et Pierre Maheu, **La mort, dernière étape de la croissance**, Montréal, Québec Amérique, 1977, 220 p.

La Flèche, Yann, **La Prophétie du cinquième règne**, Monaco, Éditions Alphée, 2005, 297 p.

Levine, Stephen, **Healing into Life and Death**, New York, Anchor, 1989, 312 p.

Levine, Stephen, **Who Dies ?**, New York, Anchor, 1989, 317 p.

Losier, Michael J., **La loi de l'attraction**, France, Les éditions des 3 monts, 2006, 165 p.

Mallasz, Gitta, **Dialogues avec l'Ange**, France, Aubier, 1976, 396 p.

Marie-Lue, **Lettres ouvertes à mon gourou**. Pour en finir avec ma secte…, Québec, Louise Courteau Éditrice, 2004, 205 p.

Meurois-Givaudan, Anne et Daniel, **Chronique d'un départ**, France, Amrita, 1993, 209 p.

Meurois-Givaudan, Daniel, **Ce clou que j'ai enfoncé**, Montréal, Le Perséa, 2004, 312 p.

Meurois-Givaudan, Daniel, **Comment dieu devint Dieu**, Montréal, Le Perséa, 2005, 170 p.

Meurois-Givaudan, Daniel, **Visions esséniennes**, France, Amrita, 1996, 192 p.

Montaud, Bernard et al., **La vie et la mort de Gitta Mallasz**, Paris, Dervy, 2002, 328 p.

Montaud, Bernard, **La psychologie nucléaire.** Un accompagnement du vivant, France, Édit'as, 2001, 600 p.

Morgan, Marlo, **Message des hommes vrais au monde mutant**, Paris, Éditions J'ai lu, 1997, 247 p.

Morgan, Marlo, **Message en provenance de l'éternité**, Paris, Éditions J'ai lu, 1999, 311 p.

Morton, Chris et Ceri Louise Thomas, **Le mystère des crânes de cristal**, Paris, Éditions J'ai lu, 2008, 538 p.

Singer, Christiane, **Derniers fragments d'un long voyage**, Paris, Albin Michel, 2007, 136 p.

Thouin, Lise, **Boule de rêve**, Montréal, Fondation Boule de Rêve, 1993, 40 p.

Thouin, Lise, **De l'autre côté des choses**, Montréal, Libre Expression, 1996, 383 p.

Thouin, Lise, **Toucher au Soleil... et tant pis si ça brûle...**, Montréal, Libre Expression, 2001, 230 p.

Tolle, Eckhart, **Le pouvoir du moment présent**, Montréal, Ariane, 2000, 254 p.

Vallée, Martine (éd.), **Au-delà du voile des illusions et de la confusion.** 2008, l'année de l'Unité, Montréal, Ariane, 2007, 318 p.

Van Eersel, Patrice, **Le cinquième rêve**, Paris, Le livre de poche, 1995, 448 p.

Vitale, Joe, **Le facteur d'attraction**, Québec, Un monde différent, 2006, 288 p.

Walsch, Neale Donald, **Conversations avec Dieu**, Montréal, Ariane, 1997-1999, 3 tomes.

Walsch, Neale Donald, **L'amitié avec Dieu**, Montréal, Ariane, 2000, 330 p.

Walsch, Neale Donald, **Retour à Dieu.** Une vie sans fin, Montréal, Ariane, 2006, 376 p.

Wattles, Wallace D., **La science de l'enrichissement**, Québec, Dauphin blanc, 2006 (dernière traduction française), 165 p.

UN APPEL À TOUS !

Cette publication s'inscrit dans un projet « Donner au suivant ». Pour aider un plus grand nombre de personnes à mourir dans la dignité, l'auteure, l'éditeur et les commanditaires offrent gratuitement ce livre à deux mille lecteurs qui eux, sont invités à envoyer de 5 à 25 dollars à la maison de soins palliatifs de leur choix.

Mais les autres lecteurs (ceux qui ont payé pour cet ouvrage) sont également invités à envoyer quelques dollars à l'une de ces maisons qui vivent en grande partie de dons et de bénévolat. Dieu sait combien il est impératif, en ces temps troublés, d'aider les humains à faire « le passage » dans l'amour et vers l'Amour...

Merci de votre solidarité !

(Vous trouverez, à la page 225, une liste de 14 maisons actuellement en activité au Québec.)

Nous tenons à souligner que la vision proposée dans ce livre n'engage que son auteure.

Liste des maisons de soins palliatifs du Québec

Maison Victor-Gadbois
1000, rue Chabot
St-Mathieu-de-Beloeil, Qc
J3G 4S5

Maison Le Havre du Lac-Saint-Jean
923, rue McNicoll
Roberval, Qc
G8H 1X2

Maison Colombe-Veilleux
1832, boul. Walberg
Dolbeau-Mistassini, Qc
G8L 1H9

Maison N.D. du Saguenay
1176, rue Notre-Dame
Chicoutimi, Qc
G7H 1X6

Maison Soli-Can
300, boul. Champlain Sud
(Pavillon Alfred-Villeneuve)
Alma, Qc
G8B 5W3

Maison Michel-Sarrazin
2101, chemin Saint-Louis
Sillery-Québec, Qc
G1T 1P5

Maison Albatros Trois-Rivières Inc.
2325, 1ère avenue
Trois-Rivières, Qc
G9A 5L6

Maison Aube-Lumière
220, rue Kennedy Nord
Sherbrooke, Qc
J1E 2E7

Maison Mathieu-Froment-Savoie
55, rue Notre-Dame
Aylmer, Qc
J9H 3C8

Maison de soins palliatifs de
Rouyn-Noranda
1405, rue Perreault est
Rouyn-Noranda, Qc
J9X 5H5

Maison du Bouleau Blanc
2557, 1ère rue est
Amos, Qc
J9T 3A1

Résidence de soins palliatifs de
l'Ouest de l'Île
The West Island Palliative Care
Residence
265, André Brunet
Kirkland, Qc
H9H 3R4

Vallée des Roseaux
390, rue Pie XII
Baie-Comeau, Qc
G5C 1S2

Maison Catherine-de-Longpré
1120, 18e rue
Saint-Georges, Qc
G5Y 6N1